\s!

ie gerne und regelmäßig über Neuigkeiten aus der
OK Verlags. Folgen Sie uns für News, Specials und
unseren Büchern, Themen und Autoren.

verlag.de/newsletter · www.facebook.com/conbook

m/conbook · www.pinterest.com/conbook

7. Auflage 2015

www.conbook-verlag.de
www.fettnaepfchenfuehrer.de

Lektorat: Birgit Schmidt-Hurtienne, www.beesha.de
Einbandgestaltung: David Janik unter Verwendung von
Lizenzmaterial © istockphoto.com/halbergman
Satz: David Janik
ruck und Verarbeitung: CPI – Ebner & Spiegel GmbH, Ulm

Printed in Germany

ISBN 978-3-943176-16-2

Folgen Sie u

Wir informieren
Welt des CONB
Informationen z

www.conboo

www.twitter

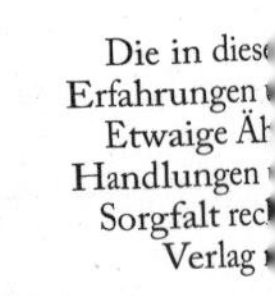

Die in diese
Erfahrungen
Etwaige Äh
Handlungen
Sorgfalt rec
Verlag

FETTNÄPFCHENFÜHRER
Kai Blum
USA
Mittendurch und Drumherum

Mal ehrlich: Wie gut kennen Sie die USA denn nun wirklich? Klar, Sie haben schon zahllose amerikanische Fernsehserien und Filme gesehen, aber wissen Sie, welche Besonderheiten es beim Arztbesuch in den USA gibt, was Sie im Straßenverkehr beachten müssen, um nicht verhaftet zu werden, und welche Dinge Sie sagen und vor allem nicht sagen sollten?

Egal, ob Sie den Urlaub oder eine längere Zeit jenseits des Atlantiks verbringen wollen, die Zahl der Fettnäpfchen, in die Sie unwissend tappen können, ist größer, als es auf den ersten Blick scheint. Wenn Sie sich darauf nicht gut vorbereiten, wird es Ihnen wie Torsten F. und Susanne M. ergehen, die sich bei ihrem ersten Aufenthalt in den USA fortlaufend blamierten.

Geduldiger Begleiter des Blamagemarathons durch das vermeintlich unkomplizierte Amerika ist ihr Reisetagebuch, das durch einen ketchupverschmierten Zufall den Weg zu Kai Blum findet, der die vielen Fallstricke der amerikanischen Gesellschaft auch aus eigener Erfahrung kennt.

Mit Humor und vielen wissenswerten Details hat Kai Blum das Reisetagebuch kommentiert und somit ein Werk erschaffen, das es Ihnen ermöglicht, auf unterhaltsame Weise von den Fehlern anderer zu lernen und bei Ihrem eigenen USA-Aufenthalt die typischen Fettnäpfchen zu vermeiden.

»Das Buch ist rundum gelungen. Unterhaltsam und informativ.« *(zeitzonen.de)*

Kai Blum wurde 1969 in Rostock geboren und hat in Leipzig Germanistik, Geschichte und Amerikanistik studiert. Nebenher schrieb er dort für eine Lokalzeitung. 1994 wanderte er in die USA aus und wohnte anfangs in Washington, D.C. und später in Virginia sowie South Dakota.

Seit Ende der Neunziger Jahre lebt er in Michigan. Beruflich war er bisher u.a. im Buchhandel, in einer Bibliothek und vor allem im Internet-Bereich tätig. Gegenwärtig leitet er bei einer großen PR-Agentur in Detroit den Bereich Suchmaschinen-Marketing.

Kai Blum erhielt Anfang 2006 die amerikanische Staatsbürgerschaft.

Inhalt

Vorwort

Eigentlich ist es ja nicht meine Art, im Müll zu wühlen. Schon gar nicht in der Flughafen-Wartehalle von Detroit. Wie schnell könnte man doch mit einem Terroristen verwechselt werden, der da unter Papptellern und Pizzaresten eine Bombe verstecken will! Aber da ich vor dem Fliegen gehörige Angst habe, versuchte ich auch an jenem Tag Mitte August meine Nerven mittels Bierkonsum zu beruhigen – und der nahm mir dann anscheinend auch die Hemmung vor einem beherzten Griff in den Abfallbehälter.

Wie konnte ich auch widerstehen? Nach fast zwanzig Jahren Leben in den USA lechze ich nach jeder deutschen Silbe, und als ich dieses kleine Heft mit den fein säuberlich auf den Deckel geschriebenen Worten »Unser Reisetagebuch« im Müll liegen sah, konnte ich mich nicht einfach abwenden. Da siegte die Neugier sowohl über das Risiko einer Verhaftung als auch über den Ekel wegen der ketchupbeschmierten Essensreste, die auf dem Umschlag klebten und besagte Aufschrift um Haaresbreite verdeckt und damit dieses Kleinod deutscher Urlauber-Tagebücher beinahe für immer der Öffentlichkeit enthalten hätten.

Nachdem ich den Umschlag notdürftig mithilfe einiger Servietten gereinigt und die ersten Seiten gelesen hatte, wusste ich, dass ich mit meinem Verlag sprechen musste. Dort hatte man nämlich seit Längerem die Idee gehabt, »Fettnäpfchenführer« für eine ganze Reihe von Ländern herauszugeben. Da ich schon zwei andere Ratgeber für Neuankömmlinge in Amerika geschrieben hatte, war ich folgerichtig auch mit dem Verfassen eines Fettnäpfchen-Buches für die USA beauftragt worden. Das Leben schreibt jedoch bekanntlich die besten Geschichten, und mir war schnell klar, dass ich das gefundene Tagebuch nicht übertreffen konnte, sondern lediglich um einige Erklärungen ergänzen musste.

Hier nun also die Aufzeichnungen zur ersten USA-Reise von Torsten und Susanne inklusive meiner Anmerkungen und Erläuterungen, wie Sie die Fehler der beiden bei Ihrem eigenen Amerika-Aufenthalt von vornherein vermeiden können. Meine ergänzenden Informationen finden Sie hoffentlich auch interessant und unterhaltsam.

Ich wünsche Ihnen viel Spaß bei der Lektüre!

Kai Blum

Auf dem Weg nach Amerika

25. Juli, Mitten über dem Atlantik

Torsten | Heute fliegen wir zum ersten Mal in die USA, genauer gesagt nach Detroit im Bundesstaat Michigan. Wir werden dort unsere amerikanischen Freunde Mark und Sarah besuchen, die wir vor zwei Jahren auf der Buchmesse in Leipzig kennenlernten und die letztes Jahr mit uns an der Ostsee Urlaub gemacht hatten.

Die beiden wohnen in einer Stadt mit dem etwas merkwürdigen Namen Ann Arbor, die 64 Kilometer westlich von Detroit liegt. Auf Wikipedia habe ich gelesen, dass es dort eines der größten Sportstadien der Welt gibt, in das praktisch die gesamte Bevölkerung der Stadt hineinpasst, nämlich rund 113.000 Menschen. Die müssen ganz schön sportbegeistert sein!

Mark und Sarah werden uns am Flughafen abholen und wir bleiben zunächst ein paar Tage bei ihnen, damit wir uns an die USA gewöhnen können, besonders was die Sprache betrifft. Mein Englisch ist ja eigentlich ganz gut und ich war in den letzten Jahren auch ein paar Mal in London gewesen, aber wer weiß, ob das mit der amerikanischen Aussprache hinhauen wird. Susanne kann nicht so gut Englisch, glaube ich, da sie in der Schule hauptsächlich Russisch gelernt hatte.

Nach der Eingewöhnungsphase in Ann Arbor fahren wir dann mit dem Zug nach Chicago im Bundesstaat Illinois und bleiben drei bis vier Tage dort. Eigentlich wollten wir ja unseren gesamten Urlaub in Michigan verbringen, aber Mark und Sarah hatten mehrmals betont, dass Chicago eine ganz tolle Stadt sei, die wir uns unbedingt ansehen sollten. Die Zugfahrt von Ann Arbor nach Chicago dauere außerdem nur fünf Stunden.

Und da so eine amerikanische Großstadt bestimmt ganz hektisch ist, wollen wir uns danach so richtig in der Natur erholen. Mark hatte uns erzählt, dass es im Norden von Michigan sehr schön sei. Viel Wasser und Natur. Sogar Bären, Wölfe und Elche soll es da geben. Klingt doch super! Wir werden uns ein Auto mieten und quer durch Michigan dorthin fahren. So ein Roadtrip ist sicher auch ganz spannend.

Unsere Freunde zu Hause hatten gesagt, dass wir sie auf Facebook über unsere Reise auf dem Laufenden halten sollen. Aber ich finde es ehrlich gesagt blöd, auch im Urlaub dauernd online zu sein. Außerdem hatte ich keine Lust, mein Notebook mitzuschleppen. So haben Susanne und ich dann beschlossen, mal ein paar Wochen ohne Internet zu leben und unsere Erlebnisse in einem altmodischen Tagebuch per Hand aufzuschreiben. Ich komme mir jetzt schon wie Jack London vor ...

Fliegengitter und Kondome

25. Juli, Ann Arbor, Michigan

Torsten | Jetzt sind wir in den USA! Die Landung war perfekt, und auch bei der Passkontrolle gab es keine Probleme. Man hört ja immer, dass mit den amerikanischen Grenzbeamten nicht zu scherzen sei. Die Frau am Schalter wollte zwar genau wissen, wo ich hin will und wie lange ich in den USA bleibe, war aber insgesamt gar nicht unfreundlich. Auch Susanne kam am Nachbarschalter ohne Probleme durch. Am Ausgang warteten Mark und Sarah auf uns. Sie waren braun gebrannt und frohgemut. Sarah war im achten Monat schwanger und kugelrund. Wir freuten uns alle riesig über das Wiedersehen.

Um zu ihrem Auto zu gelangen, führten Mark und Sarah uns durch ein Labyrinth aus Rolltreppen und Fahrstühlen in dem sehr modern aussehenden Flughafen. Die Wanderung endete jedoch in einem extrem schlecht beleuchteten Parkhaus, dem zu entkommen dann wegen der verwirrenden Ausschilderung auch gar nicht so einfach war. Mark fuhr erst einmal einige Runden im Kreis, ohne den Weg zum Ausgang zu finden. Aber schließlich ging es über verschiedene Rampen einige Stockwerke hoch zur Kasse und nach dem Bezahlen wieder hinab und durch einen Tunnel unter den Landebahnen hindurch, bis wir das Flughafengelände endlich verlassen konnten. Während unserer Irrfahrt spekulierten wir, ob der Architekt des Parkhauses Kafka-Fan war.

Draußen schien die Sonne und wir sogen erst einmal die ersten Eindrücke von Amerika in uns auf. Alles war irgendwie größer: die Fahrspuren, die Autos und Laster sowie die Werbetafeln am Rand der Autobahn. Da sahen wir Werbung für eine Uni, ein Krankenhaus, ein Waffengeschäft und mehrere Anwaltskanzleien. Und von wegen in den USA wird langsam gefahren ... Stimmt nicht! Auf der Autobahn rasen hier auch alle wie die Verrückten und überholen zudem rechts genauso wie links und ohne zu blinken. Auch die riesigen Brummis hielten sich nicht an die Geschwindigkeitsbegrenzung. Selbst einer dieser typisch amerikanischen Schulbusse war bei der Raserei auf der recht holprigen Fahrbahn dabei. Mark fluchte einmal lautstark, als er beinahe auf einen Langsamfahrer auffuhr, der sein Handy am Ohr hatte und ganz in ein Gespräch versunken war.

Dann ging's plötzlich runter von der Autobahn und wir fuhren nach Ann Arbor hinein. Die Stadt gefiel uns auf den ersten Blick. Schöne Häuser und gepflegte Grünanlagen, wohin wir schauten. Im Stadtzentrum lag ein Restaurant neben dem anderen und die zahllosen Freisitze davor waren alle besetzt. Kellner balancierten mit gefüllten Biergläsern zwischen den Tischen hindurch. Die Leute schienen den Sommer in vollen Zügen zu genießen.

Mark und Sarah wohnten in einem sorgfältig restaurierten alten Holzhaus in der Nähe vom Stadtzentrum. Beim Betreten des Hauses wurden wir von einem Schäferhund namens Max stürmisch begrüßt. Der Hund war erst ein Jahr alt und deshalb immer noch sehr verspielt. Nachdem er sich etwas beruhigt hatte, führten uns Mark und Sarah durch das Haus. Es war ihnen anzumerken, dass sie sehr stolz darauf waren. Sie hatten es erst letztes Jahr gekauft und dann mehrere Monate lang renoviert.

Die riesige Küche sah aus wie aus dem Ikea-Katalog, und als ich dies erwähnte, lachte Sarah und sagte, dass es hier in der Gegend tatsächlich ein *ei-kie-a*-Kaufhaus gäbe und dass sie die Kücheneinrichtung dort gekauft hätten. Susanne meinte, sie hätte auch gerne so eine Küche – nur kleiner natürlich, denn alle Geräte sind hier viel größer als bei uns. Besonders der Kühlschrank, der gute zwei Meter hoch und beinahe genauso breit war und zwei gleich große Türen hatte: links für den Gefrierschrank und rechts für die normalen Lebensmittel. An der Gefrierschranktür gab es eine Vorrichtung, die Eiswürfel ausspuckte. Mark hatte damit unmittelbar nach unserer Ankunft bereits einige Gläser gefüllt und uns dann Cola eingegossen. Mir gefiel das, aber Susanne fand die Cola viel zu kalt und wollte am liebsten die Eiswürfel herausfischen. Irgendwie schmeckte die Cola auch anders als zu Hause.

Der Kühlschrank war mit einem Speisevorrat gefüllt, der sicher ein halbes Jahr reichen würde. Dass er so gigantisch ist, liegt sicher auch daran, dass die Verpackungen hier ebenfalls wesentlich größer sind als bei uns. Die Milch kommt hier z. B. in riesigen Plastikbehältern mit Griff. *One gallon* steht auf dem Etikett. Das sind beinahe vier Liter! Auf der Milch, auf den Eiern und auf den Äpfeln waren Sticker mit dem Wort *organic* aufgeklebt. Als ich fragte, was das bedeutet, erklärte Sarah, dass es sich dabei um Bioprodukte handelt und dass sie jetzt, da sie schwanger sei, auf gesunde Ernährung besonderen Wert legt. »Aber manchmal sündige ich auch.« Mit diesen Worten öffnete sie den Gefrierschrank und deutete auf einen kleinen Eimer, der sich bei näherer Betrachtung als eine riesige Packung Schoko-Eis herausstellte.

Kennzeichnung von (Bio-)Obst und Gemüse

Obst aus Bio-Anbau kann man außer an der Kennzeichnung *organic* an einer aufgeklebten Nummer, dem sogenannten *PLU code* erkennen. Er hat eine fünfstellige Nummer, die mit einer neun beginnt, z. B. 94011. Normales Obst und Gemüse hat dagegen eine vierstellige Nummer, z. B. 4011. Aber Vorsicht: Der *PLU code* für genmanipuliertes Obst und Gemüse hat ebenfalls fünf Stellen, beginnt jedoch mit einer acht, also z. B. 84011.

Als wir in den Raum neben der Küche traten, dachte ich wegen des riesigen Flachbildschirms an der Wand zuerst an ein Kino, aber es war dann natürlich doch nur das Wohnzimmer. Ein kleiner Flur führte zu Sarahs Arbeitszimmer, das überquellende Bücherregale an allen Wänden hatte. Daneben war ein Klo mit Duschkabine. Auf der zweiten Etage befand sich ein riesiges Schlafzimmer, an das eine Kleiderkammer und ein eigenes Badezimmer angeschlossen waren. Das zukünftige Kinderzimmer, in dem wir schlafen, liegt gleich daneben. Es ist himmelblau gestrichen, denn die beiden erwarten einen Jungen.

Bei unserem Rundgang fielen mir einige Besonderheiten auf: In diesem Haus gibt es keine Türklinken, sondern nur Drehknöpfe. Die Fenster werden nicht aufgeklappt, sondern hochgeschoben und sind alle mit Fliegengittern versehen. Und die Toilettenspülkästen sind mit schätzungsweise fünf Litern Wasser gefüllt, die jedes Mal komplett weggespült werden. Eine Zweistufenregelung wie bei uns scheint es hier nicht zu geben.

Nachdem wir drinnen alles gesehen hatten, begaben wir uns auf die aus Holz gebaute Veranda hinter dem Haus, die Mark und Sarah »*deck*« nannten. Dort stand ein gigantischer, mit Propangas betriebener Grill, der so groß war, dass man mit ihm mühelos einen ganzen Fußballverein auf einmal mit Bratwürsten versorgen könnte. Die tennisplatzgroße Rasenfläche, die den gesamten Garten bedeckte, war kurzgeschnitten und sah absolut perfekt aus, ebenso wie der Rasen vor dem Haus. Bei den Nachbarn war auch alles makellos.

Rings um den Rasen steckten kleine Fähnchen im Boden. Sie trugen alle die Aufschrift *invisible fence*. Wo der Deutsche einen massiven Zaun hat, um sein Grundstück abzugrenzen, reichen hier offenbar ein paar Fähnchen. Aber nachdem ich mich diesbezüglich lobend geäußert hatte, lachte Mark und sagte: »Schau mal!«

Er hielt Max einen Tennisball vor die Nase und warf ihn dann in Richtung Nachbargrundstück. Der Hund rannte zuerst blitzschnell hinterher, blieb dann aber wie angewurzelt stehen, als der Ball an einem der Fähnchen vorbei rollte. Er bellte in Richtung Ball, ging aber nicht weiter. Mark rief Max zu uns und wies mich auf eine kleine Schachtel an seinem Halsband hin.

»Hier ist ein Funkempfänger drin. Die Fähnchen markieren Sensoren, die ein Signal senden, wenn Max zu nahe kommt.«

»Verstehe ich nicht.«

»Max bekommt jedes Mal einen leichten Stromschlag versetzt, wenn er dem unsichtbaren Zaun zu nahe kommt. Er hat so ganz schnell gelernt, wo die Grundstücksgrenze verläuft.«

Als ich das hörte, musste ich unwillkürlich an die Selbstschussanlagen an der ehemaligen innerdeutschen Grenze denken. Den Machthabern in der DDR hätte die Technologie des unsichtbaren Zaunes sicher gefallen. Ich stellte mir in Gedanken vor, wie die Menschen im Osten alle eine kleine Plastikschachtel am Hals trugen.

»Träum nicht!« Susanne riss mich aus meinen Gedanken. Sie zog mich, Mark und Sarah folgend, in die Garage. Dort standen ein kleiner Traktor, der sich als Rasenmäher entpuppte, auf dem man sitzen konnte, sowie zwei Fahrräder, mit denen Sarah und Mark oft zur Arbeit fahren. Mark arbeitet als Pfleger im Krankenhaus und Sarah als Lektorin im Universitätsverlag. Deshalb war sie auch vor zwei Jahren auf der Buchmesse in Leipzig gewesen. Der Verlag, bei dem Susanne arbeitet, hatte einen Stand in der gleichen Halle. Die beiden waren ins Gespräch gekommen, als Sarah ein Becher Kaffee genau vor Susannes Stand aus der Hand rutschte und diese ihr beim Aufwischen half.

Sarahs Verlag hat dann letztes Jahr ein Buch aus Susannes Verlag übernommen, das sich sehr erfolgreich in den USA verkaufte, nachdem es eine gute Kritik in der

New York Times erhalten hatte. An unserem letzten Tag hier soll Susanne nun in Sarahs Verlag einen Vortrag zum deutschen Buchmarkt halten und Möglichkeiten für eine weitere Zusammenarbeit zwischen den beiden Verlagen besprechen. Sie ist schon ganz schön aufgeregt deswegen, weil ihr Englisch ja nicht so gut ist, aber Sarah hat gesagt, dass sie sich keine Sorgen machen solle.

Nachdem uns unsere Gastgeber Haus und Garten gezeigt hatten, wollten wir ein wenig spazieren gehen und die Nachbarschaft erkunden. Wir waren zwar hundemüde, aber nach dem stundenlangen Sitzen im engen Flugzeug würde es uns bestimmt gut tun, wenn wir uns etwas die Beine vertraten. Zudem war es ein sehr schöner Sommerabend und ins Bett gehen, solange es noch hell war, konnten wir irgendwie auch nicht.

Sarah und Mark, die noch ein kleines Abendbrot vorbereiten wollten, fragten uns, ob wir Max auf unseren Spaziergang mitnehmen würden. »Er kann euch ja die Gegend zeigen«, sagte Mark und legte dem aufgeregten Vierbeiner eine Leine an. Er gab uns auch eine Plastiktüte mit, falls Max *number two* machen würde. Auf Nachfrage erklärte Mark lachend, dass Pinkeln *number one* ist – was *number two* sei, könnten wir uns dann doch sicher denken. Wie wir später mehrmals sahen, schien es hier bei den Herrchen und Frauchen selbstverständlich zu sein, pflichtbewusst die

Hinterlassenschaften ihrer Hunde per Plastiktüte von den gepflegten Rasenflächen vor den Häusern zu entfernen.

Die Nachbarschaft war wirklich schön. Fast alle Häuser waren aus Holz gebaut und in den verschiedensten Farben gestrichen, wobei Weiß, Gelb und Grün überwogen. Vereinzelt gab es auch gemauerte Häuser, die allesamt unverputzt waren. Der ganze Stadtteil war sehr grün. Es gab saftige Rasen mit Blumen vor und hinter den Häusern und viele alte Bäume, die eine Menge Schatten spendeten. Richtige Zäune gab es fast keine, aber wir kamen an einem weiteren unsichtbaren Zaun vorbei, mit einem Hund auf der anderen Seite, der uns zuerst aufmerksam beäugte, dann wegen Max wie verrückt bellte und ärgerlich hin und her lief – aber letztendlich wohl doch keine Lust auf einen Stromschlag hatte.

Die Leute, denen wir auf unserem Spaziergang begegneten, grüßten uns alle sehr freundlich. Bis auf eine Ausnahme: Als wir eine große Grünanlage durchquerten, ließen wir Max von der Leine und warfen einen Stock, den er freudig zurückbrachte. Wir wiederholten das einige Male, bis Max plötzlich einen kleinen Hund entdeckte, der von seinem Frauchen spazieren geführt wurde. Er lief sofort zu seiner Entdeckung, worauf die Frau sehr ärgerlich wurde und ihren Hund auf den Arm nahm. Als sie uns sah, rief sie uns einige wütende Worte zu, die wir aber nicht verstanden. Wir riefen

Max' Namen mehrere Male, bevor er auch zurückkam und wir unseren Spaziergang schleunigst fortsetzten. Warum die Frau so ärgerlich war, habe ich nicht so richtig begriffen – Max ist nun wahrlich kein aggressiver Hund.

Nach unserem Spaziergang ist dann noch etwas sehr Lustiges passiert: Ich war schon mit Sarah und Mark auf der Veranda, wo Letzterer den Grill angeworfen hatte. Susanne wollte, nachdem sie auf dem Klo war, auch rauskommen und schritt freudig durchs Wohnzimmer auf uns zu. Als sie bei der Verandatür ankam, passierte es! Die Glastür war zwar zur Seite geschoben, aber es gab da noch eine extra Schiebetür mit einem Insektengitter, in die Susanne voll reingerannt ist. Sie hat die Tür komplett ausgehebelt und ist zu uns auf die Veranda gestürzt! Das war ein richtig filmreifer Stunt! Schade, dass ich keine Videokamera dabei hatte!

Mark meinte, dass es hier die Fernsehsendung *America's Funniest Home Videos* gibt, die sich auf derartige Heimvideos spezialisiert hat und dass man da sogar viel Geld bekommen kann, wenn den Zuschauern das Video gefällt. Ich wollte Susanne dazu überreden, den Stunt vor laufender Kamera noch einmal zu wiederholen, aber sie hatte irgendwie keine Lust, in Amerika berühmt zu werden.

Susanne | Ich hatte das Fliegengitter überhaupt nicht gesehen. Woher sollte ich denn wissen, dass da eins war? Das kann doch wohl jedem passieren! Aber Torsten ist auch was Peinliches unterlaufen: Er hat Mark nach einem Radiergummi gefragt, worauf dieser ihm dann ein Kondom gegeben hat. Von wegen gutes Englisch! Das kann ja noch was werden ...

An die Klimaanlage muss ich mich auch erst einmal gewöhnen. Im Haus herrscht eine Eiseskälte, die aus diversen Luftschächten geblasen kommt. Sarah und Mark scheinen es so kalt zu mögen, auch im Auto hatte ich schon gefroren – da lief die Klimaanlage ebenfalls auf Hochtouren. Sarah fragte mich, ob mir kalt war, aber ich wollte mich nicht gleich beschweren, wir waren ja gerade erst angekommen. Heute Nacht lassen wir dann einfach das Fenster auf, sonst holen wir uns hier am ersten Tag schon eine Erkältung.

Was ist diesmal schiefgelaufen?

Warum war die Besitzerin des kleinen Hundes wütend, als Max, der ein Jahr alte Schäferhund, auf sie zugelaufen kam? Die Frage ist einfach zu beantworten: Hunde werden in den USA grundsätzlich an der Leine geführt. Einige Leute reagieren recht unwirsch, wenn man dies nicht beachtet. Vielerorts bekommt man zudem einen Strafzettel, wenn man seinen Hund außerhalb des eigenen Grundstücks frei herumlaufen lässt. Außerdem kann man in den

USA als Hundebesitzer auf hohe Geldsummen verklagt werden, wenn das Tier jemanden beißt. In Restaurants darf man Hunde nicht mitnehmen und in Geschäfte nur dann, wenn es ein Schild mit einer entsprechenden Einladung gibt, z. B. *pets welcome*. In öffentliche Verkehrsmittel dürfen Hunde nur dann, wenn es sich um Vierbeiner handelt, die Behinderten zur Seite stehen.

Susannes Ungeschick mit der Fliegengittertür kann eigentlich jedem passieren, der nicht weiß, dass in amerikanischen Häusern in der Regel nicht nur alle Fenster ein Fliegengitter haben, sondern dass es neben der eigentlichen Balkon- oder Verandatür meistens auch noch eine weitere locker eingehängte Schiebetür gibt. Sie besteht aus einem sehr dünnen, leichten Rahmen und einem sehr straffen und feinmaschigen Fliegengitter, sodass man die Verandatür auf- und frische Luft hineinlassen kann. Besonders am Abend werden zugleich Fliegen und Mücken gehindert einzudringen. Wenn man nicht weiß, dass es eine solche Tür gibt und man den Blick eher auf etwas anderes gerichtet hat, z. B. auf Freunde, die draußen auf der Veranda sitzen, so wie das bei Susanne der Fall war, kann man das Fliegengitter schon mal übersehen und dagegen laufen. Wegen ihrer Leichtbauweise geben diese Türen schnell nach und lassen sich ohne Weiteres aus der Aufhängung drücken. Das erneute Einhängen ist zum Glück auch sehr einfach.

Und warum hat Torsten von Mark ein Kondom bekommen, als er nach einem Radiergummi fragte? Er hat um einen *rubber* gebeten, so wie er es in der Schule gelernt hatte. In den USA wird ein Radiergummi jedoch als *eraser* bezeichnet. Unter *rubber* versteht man hier ein Kondom. American English unterscheidet sich vom British English hauptsächlich durch die Aussprache, aber auch in Rechtschreibung und Wortschatz. Also war es kein Wunder, dass Mark Torsten missverstanden hat, als dieser um einen *rubber* bat.

American English vs. British English

Bezeichnung	Großbritannien	USA
brew	Tee	Bier
casket	Schmuckkästchen	Sarg
entrée	Anfangs-/Zwischenspeise	Hauptgericht
fag	Zigarette	Schwuler
first floor	Stockwerk über Erdgeschoss	Erdgeschoss
football	Fußball	American football
geezer	Gangster	alter Knacker
hockey	Feldhockey	Eishockey
hole-in-the-wall	Geldautomat	kleines, unbekanntes Restaurant
holiday	Ferien, Urlaub	Feiertag
homely	gemütlich	unattraktiv, in Bezug auf eine Person
jam	Marmelade	Konfitüre
mad	verrückt	verärgert
Mid-Atlantic	Mitte des Atlantiks	Mitte der Atlantikküste der USA

muffin	flache, brötchenähnliche Backware	kuchenähnliche Backware, die es auch in Deutschland gibt
pants	Unterhose	Hose
pavement	Bürgersteig	Straßenbelag
purse	Geldbörse für Frauen	Handtasche
restroom	Pausenraum	öffentliche Toilette
to ring s.o. up	jemanden anrufen	jemanden an der Kasse bedienen
run-in	der letzte Teil eines Wettrennens	Konflikt
semi	Doppelhaushälfte	Sattelschlepper
sherbet	Brausepulver	Sorbet, das auch etwas Milch als Zutat enthält
silverware	Dinge aus Silber	Besteck
tradesperson	Verkäufer	Facharbeiter
tube	U-Bahn	Fernseher

In der Rechtschreibung gibt es folgende Hauptunterschiede: Die meisten Wörter, die im British English auf den unbetonten Silben -our (z. B. colour, flavour, neighbour) und -re (centre, litre, theatre) enden, werden im American English mit -or (color, flavor, neighbor) bzw. -er (center, liter, theater) geschrieben. Ferner wird im American English die Endung -ize (organize, realize, recognize) verwendet, während im British English oft die Endung -ise (organise, realise, recognise) geschrieben wird. Außerdem haben manche Wörter im Britischen ein Doppel-l, im Amerikanischen jedoch nur ein l: cancelled/canceled, modelling/modeling, travelling/traveling. Andererseits schreiben die Amerikaner bestimmte Worte lieber mit Doppel-l, die

Briten jedoch nur mit einem l: fulfil(l)ment, enrol(l)ment, instal(l)ment. Auch im Zusammenhang mit Ableitungen und Nachsilben gibt es Unterschiede in der Buchstabierung verschiedener Wörter, wie z. B. ageing (British English) und aging (American English).

Bei der Aussprache gibt es keine wirkliche Standardversion des American English. Nachrichtensprecher und Schauspieler nehmen jedoch oft Unterricht, um ohne erkennbare regionale Akzente sprechen zu lernen. Dieses Englisch wird mitunter *Standard American English* genannt. Die regionalen Unterschiede innerhalb des American English sind allerdings wesentlich geringer als die Unterschiede innerhalb des British English. Als Nichtamerikaner kann man vielleicht erkennen, dass jemand aus den Südstaaten kommt. Aber bei den anderen Gegenden, z. B. beim Mittleren Westen, wird das schon wesentlich schwerer. Die Unterschiede sind für das ungeschulte Ohr oft kaum bemerkbar. Zudem entwickelt sich die Sprache ständig weiter, und bei jüngeren Leuten haben Sprachwissenschaftler in den letzten Jahren zunehmend Dialektangleichungen beobachtet.

Ebonics

Afroamerikaner sprechen landesweit häufig einen eigenen Dialekt, der in der Sprachwissenschaft *African American Vernacular English* und in der Umgangssprache *Ebonics* genannt wird.

Dieser Dialekt vereint Einflüsse des Southern American English der ehemaligen Sklavenhalter-Staaten im Süden der USA und westafrikanischer Sprachen. Das Englisch vieler Afroamerikaner zeichnet sich daher durch Unterschiede in Aussprache, Grammatik und Wortschatz aus. Während viele Weiße *Ebonics* als fehlerhaftes Englisch betrachten, gibt es einige schwarze Aktivisten, die es als eigenständige Sprache und nicht als Dialekt des American English ansehen. Wie dem auch sei, auf jeden Fall haben wir *Ebonics* den mittlerweile fast weltweit verbreiteten Gebrauch des Slang-Wortes *cool* zu verdanken.

Im Tretboot in Seenot

26. Juli, Ann Arbor, Michigan

Torsten | Ann Arbor liegt an einem Fluss, dem *Huron River*, und es gibt gar nicht weit vom Stadtzentrum den schönen *Gallup Park*, wo das Wasser zu einem See aufgestaut wurde. Zu diesem Park sind wir nach dem Frühstück mit Mark gefahren, der heute Spätschicht hatte. Beim Spazierengehen kamen wir nach einigen Minuten an einem Bootsverleih vorbei und wir entschieden uns spontan zu einem kleinen Ausflug auf dem Wasser. Das Wetter war einfach herrlich!

Wir liehen uns einen Wassertreter aus, weil Susanne das so wollte, und Mark nahm ein Kanu. Dass wir uns dann alle Schwimmwesten anlegen sollten, fand ich aber total übertrieben. Ich stieg einfach ohne eine solche auf den Wassertreter. Da hatte ich die Rechnung aber ohne den Angestellten des Bootsverleihs gemacht, der vehement darauf bestand, dass ich meine Weste tragen müsse. Als ob wir kleine Kinder wären ... Zuvor hatten wir schon unterschreiben müssen, dass wir den Verleih nicht verklagen würden, falls uns etwas passierte. Beim Fallschirmspringen oder Bergsteigen hätte ich das ja verstanden, aber ich konnte mir beim besten Willen nicht vorstellen, dass wir beim Wassertreten dem Tod ins Auge sehen würden.

Nun ja, wir stießen dann schließlich in See und anfangs lief auch alles ganz wunderbar. Aber als wir in etwa die Seemitte erreicht hatten und ich gerade meine Schwimmweste ablegen wollte, funktionierte plötzlich das Steuerruder nicht mehr. Irgendwas schien zu klemmen. Für uns bedeutete dies, dass wir nur noch im Kreis paddeln konnten. Susanne bekam es mit der Angst zu tun. Auch ich wusste nicht, wie wir es zum Ufer schaffen würden. Schwimmen wollte ich nicht unbedingt. Susanne würde vielleicht sogar ernsthafte Probleme bekommen, denn sie war wahrhaftig keine Wasserratte.

Mark hatte schließlich die rettende Idee: Er schlug mit seinem Paddel kräftig gegen das Ruderblatt und schaffte es tatsächlich, dieses so auszurichten, dass wir zumindest geradeaus und in Richtung Ufer fahren konnten. Wir traten kräftig drauflos und hielten direkt auf einige Leute zu, die dort auf einer Bank saßen und total verdutzt schauten, als ich ins kniehohe Wasser sprang und den Treter mit der schluchzenden Susanne darauf so nah wie möglich ans Ufer zog.

Nachdem ich Susanne geholfen hatte, einigermaßen trocken an Land zu kommen, machten wir uns zu Fuß auf den

Rückweg zum Bootsverleih, wo wir uns mit Mark treffen wollten.

Die Leute am Ufer staunten wahrscheinlich nicht schlecht, dass wir den Wassertreter einfach so zurückließen. Ich hatte keine Lust, die Umstände zu erklären – dazu war ich einfach zu sauer. Aber jetzt wurde mir wenigstens klar, warum der Bootsverleih solchen Wert darauf legte, dass alle Kunden eine Schwimmweste trugen und auf mögliche Klagen von vornherein verzichteten. Plötzliches technisches Versagen aufgrund von akuter Materialermüdung schien hier beileibe kein Einzelfall zu sein. Wer weiß, wie viele Wassertreter schon auf dem Grunde dieses Sees ruhten ...

Während ich in derartige Gedanken versunken war, hörte ich in einiger Entfernung hinter mir eine Stimme, die irgendwie vertraut klang. Neugierig drehte ich mich um und sah, wie Susanne sich mit einem älteren Herrn im Gras wälzte und schimpfte, während ein anderer Mann und ein kleiner Hund dabei zuschauten. Was war denn da los? Ich begriff erst einmal gar nichts. Der Rentner, der auf Susanne lag, trug Rollschuhe und versuchte vergeblich, wieder auf die Beine zu kommen.

»Nun guck doch nicht so blöd«, rief Susanne, die immer noch ihre Schwimmweste trug, zu mir herüber. »Hilf uns lieber!« Gemeinsam mit dem Hundebesitzer gelang es mir, den Herrn wieder auf die beräderten Beine zu stellen. Er sah etwas mitgenommen aus, rückte aber beherzt seinen Helm zurecht und entschuldigte sich vielmals bei Susanne. Aber eigentlich war es wohl eher ihre Schuld gewesen, dass es zu diesem Zusammenstoß kam. Sie hatte, statt mir zu folgen, mit dem Hündchen gespielt und war dabei in die Bahn des Rollschuh laufenden Senioren geraten.

Zum Glück wurde niemand verletzt! Das wäre auch was gewesen, wenn Susanne, nachdem sie gerade dem Ertrinken entkommen war, nun doch noch im Krankenhaus gelandet wäre – oder wenn der sportliche Opa sich das Genick gebrochen hätte. (Überhaupt, das ist uns heute mehrmals aufgefallen, scheinen ältere Leute hier viel aktiver zu sein als in Deutschland.) Mark wartete am Bootsverleih auf uns. Sein Rückweg auf dem Wasser war wesentlich kürzer und ereignisärmer gewesen als unserer auf dem Landweg. Er hatte den Leuten vom Verleih schon erklärt, was passiert war und wir bekamen daraufhin ohne Weiteres unser Geld zurückerstattet.

Nach diesem Abenteuer brauchten wir erst einmal eine Stärkung. Deshalb sind wir kurz bei *McDonald's* vorbeigefahren. Mark wollte aber nicht anhalten, sondern schnell durch den *drive-thru* gehen. Damit meinte er den Drive-in. Das gehe viel schneller, sagte er voller Überzeugung. Als wir an der Wechselsprechanlage anhielten, fragte uns Mark, was wir haben wollten.

»Einen Fish Mac und Pommes«, sagte ich. Das hatte ich früher immer gegessen, wenn wir als Studenten zu *McDonald's* gegangen waren. Mark lächelte, und als eine Stimme *»Welcome to McDonald's«* und noch irgendwas gesagt hatte, bestellte er anscheinend ein Fischfilet und irgendwas Französisches.

»Mensch«, dachte ich, »was die hier nicht alles haben!« Ich fragte ihn: »Hast du gerade ein Fischfilet bestellt?« Er lachte: »Nein, dein Fish Mac heißt hier Filet-O-Fish.« »Heißt er doch in Deutschland jetzt auch!«, meldete sich Susanne vom Rücksitz zu Wort. »Wie soll ich denn das wissen, wir sind doch schon seit Jahren nicht mehr bei *McDonald's* gewesen«, gab ich zurück. »Pommes heißen hier übrigens French Fries«, sagte Mark, bevor er sich an Susanne wandte: »Und was möchtest du?«

»Ich nehme einen Ördbörshake«, sagte sie, stolz auf ihr bescheidenes Englisch. *»One strawberry milkshake, please«*, sagte Mark in Richtung Wechselsprechanlage, während ich mich kaputtlachte. »Öördböörshake!«, imitierte ich Susanne und äußerte den Wunsch nach einem Bier, nachdem ich dieses auf der Leuchttafel mit dem Speise- und Getränkeangebot erspäht hatte. »Na, dich hätte hier auch keiner verstanden«, erwiderte sie trotzig. Damit hatte sie vielleicht recht, aber nicht weil mein Englisch so schlecht war wie das ihre, sondern weil die Sachen hier einfach anders heißen.

Das Bier war dann auch kein Bier, sondern irgendwas Abscheuliches, das wie eine Mischung aus Hustensaft und Geschirrspülmittel schmeckte und das ich einfach nicht hinunterwürgen konnte. Mir blieb nichts anderes übrig: Ich spuckte es aus dem Autofenster. »Stimmt was nicht?«, fragte Mark schmunzelnd, während ich den eben erlebten Geschmacksgau noch verarbeitete und innerlich debattierte, ob ich vielleicht eine jener Biermarken erwischt hatte, die den schlechten Ruf des amerikanischen Bieres begründeten oder ob da jemand was verwechselt hatte. Ich entschied mich für Letzteres, denn so abscheulich konnte nun wirklich kein Bier auf der ganzen Welt schmecken.

»Ich glaube, das ist kein Bier«, sagte ich, vor Ekel zitternd und kaum in der Lage zu sprechen. Mark brach in schallendes Gelächter aus. »Das ist *root beer!*« Nachdem er sich beruhigt hatte, erklärte er mir, dass das so eine Art Malzbier ist – und dass man damit aufgewachsen sein muss, um es zu mögen. »Das schmeckt ganz lecker mit einer Kugel Vanilleeis drin«, meinte er. Das glaubte er doch wohl selber nicht!

Was ist diesmal schiefgelaufen?

Das Missgeschick mit dem Wassertreter hat sicher nichts mit den USA zu tun, das hätte woanders auch passieren können. Und dass man eine Schwimmweste anlegen muss, liegt nicht an der drohenden Materialermüdung, sondern daran, dass Amerikaner sehr sicherheitsbewusst sind und lieber vorbeugen, als sich dann mit den gesundheitsschädigenden bzw. tödlichen Folgen eines Unfalles oder mit einem Rechtsstreit herumschlagen zu müssen. Dies hat zur Folge, dass beinahe jeder Fahrradfahrer in den USA einen Helm trägt, ebenso wie Kinder auf Tretrollern und Leute auf Rollschuhen. Der schriftliche Verzicht auf eine Klage im Schadensfall ist ebenfalls die Norm, wenn man Boote, Wassertreter, Fahrräder oder Ähnliches ausleiht.

Dass Susanne mit dem Rollschuhläufer zusammengestoßen war, der in dem Moment sicher in Sachen Helmtragen bestärkt wurde, lag wohl in erster Linie daran, dass sie nicht aufgepasst hatte. Spaziergänger, Fahrradfahrer und Rollschuhläufer benutzen in amerikanischen Parkanlagen oft dieselben Wege, ohne dass es zu nennenswerten Zwischenfällen kommt. Fahrräder haben in den USA normalerweise keine Klingel und Fahrradfahrer machen sich daher einfach durch Zuruf bemerkbar, wenn sie jemanden von hinten überholen wollen. Rollschuhläufer machen auf die gleiche Weise auf sich aufmerksam, falls das notwendig sein sollte. Susanne ist also entweder plötzlich in die Bahn des älteren Herren gesprungen, als sie mit dem Hündchen spielte, oder sie hat seinen Warnruf nicht gehört. Möglicherweise traf sogar beides zu.

Guten Appetit: *Root beer* und *Filet-O-Fish*

Im Großen und Ganzen ähneln sich die Filialen von *McDonald's* natürlich weltweit. Bei den Details kann es aber eine Menge kleine und große Unterschiede geben. Z. B. kann man bei *McDonald's* in den USA, im Gegensatz zu den deutschen Niederlassungen, kein Bier bekommen. Das von Torsten irrtümlicherweise bestellte *root beer* ist eine Limonade aus Kräuter- bzw. Wurzelextrakten, an der wohl nur die wenigsten Europäer Gefallen finden.

An dieser Stelle ein kleiner Exkurs: *Root beer* ist ein in den USA und Kanada beliebtes alkoholfreies Getränk, das oft mit dem deutschen Malzbier verglichen wird. Dieser Vergleich, den auch Mark gezogen hatte, ist jedoch nicht richtig. Malzbier wird aus Gerstenmalz, Hefe, Zucker und Kohlensäure hergestellt und schmeckt ganz anders als *root beer*, das ursprünglich aus den Wurzeln des Lorbeergewächses Sassafras hergestellt wurde. Heutzutage wird der Sassafras-Geschmack jedoch künstlich erzeugt und oft durch andere Geschmacksstoffe, wie z. B. Vanille oder Muskat, ergänzt.

In Nordamerika gibt es Hunderte Wurzelbier-Marken, die alle nach verschiedenen Rezepten hergestellt werden. Die Bekannteste ist A&W, die es schon seit 1922 gibt. In den USA gibt es auch mehr als 200 A&W-Restaurants, die für ihre sogenannten *root beer floats* bekannt sind. Dabei handelt es sich um ein Glas *root beer*, in dem, wie Mark erwähnt hatte, eine Kugel Vanille-Eis schwimmt. Eine andere beliebte Version mit Schoko-Eis wird *chocolate cow* oder *brown cow* genannt. Soweit die Fakten. Warum die Amerikaner *root beer* köstlich finden, bleibt unerklärlich.

Pommes Frites heißen in den USA *french fries*. Bemühungen konservativer Politiker, die frittierten Kartoffelstreifen wegen der mangelnden Unterstützung des Irak-Krieges durch die französische Regierung in *freedom fries* umzubenennen und die (ahnungslosen) Franzosen auf diese Weise zu »bestrafen«, fruchteten allerdings nicht.

Der Fish Mac, der in den USA schon immer und seit einiger Zeit nun auch, wie Susanne richtig bemerkte, in Deutschland Filet-O-Fish heißt, wurde 1962 von Lou Groen erfunden, der eine *McDonald's*-Filiale in Cincinnati (im Bundesstaat Ohio) betrieb und dessen Kundschaft hauptsächlich aus Katholiken bestand. Da diese am Freitag keine Hamburger kauften, kreierte er zum Ausgleich des Umsatzverlustes an diesem Tag einen Fisch-Burger.

Die Konzernleitung von *McDonald's* hatte sich zu dieser Zeit auch schon Gedanken über eine fleischlose Alternative gemacht: Der *hula burger* hatte statt Fleisch eine Ananas-Scheibe in der Mitte. Im Testverkauf setzte sich das Fisch-Sandwich allerdings auf Anhieb durch und begann damit seinen weltweiten Siegeszug.

Der Hamburger wurde übrigens nicht von *McDonald's* erfunden. Die älteste Hamburger-Fastfood-Kette ist vielmehr *White Castle*. Das Unternehmen wurde 1921 in Wichita (Kansas) gegründet und hat heute 420 Filialen, die hauptsächlich im Mittleren Westen und im Großraum New York zu finden sind.

Die Gründer, der Koch Walter Anderson und der Versicherungsverkäufer Billy Ingram, mussten anfangs aber erst einmal die Hackfleisch-Abneigung der amerikanischen Bevölkerung überwinden. Der Schriftsteller Upton Sinclair hatte nämlich 1906 in seinem Roman *The Jungle* einem Massenpublikum die hygienischen Missstände in den Schlachthöfen und Konservenfabriken Chicagos vor Augen geführt. Um den Eindruck kompletter Reinlichkeit zu vermitteln, wurden die White-Castle-Restaurants, die damals wie heute ein wenig wie kleine mittelalterliche Festungen aussehen, außen mit weißer Emaille verkleidet und innen mit viel Edelstahl versehen. Die Angestellten waren in makellos saubere Uniformen gekleidet. Die Restaurants maßen nur 8,5 mal 8,5 Meter und wurden als Bausätze geliefert.

Walter Anderson erfand nicht nur den Hamburger, sondern entwickelte auch die Fließbandmethode in der Küchenarbeit, die sich schnell und ohne großen Aufwand an unausgebildete Arbeitskräfte vermitteln ließ. Damit einher ging eine Standardisierung der Speisen, sodass die Kunden in jedem White-Castle-Restaurant das Gleiche erwarten konnten. Damit war das moderne Fast Food geboren.

A&W, der oben erwähnte Root-Beer-Hersteller, entwickelte dann 1924 das Franchise-Konzept, d. h. die Eröffnung von Lizenzbetrieben durch selbständige Betreiber, die den Markennahmen, die Ausstattung und die Produkte der Mutterfirma nutzen. Bald schossen überall Fast-Food-Restaurants aus dem Boden. Heutzutage gibt es z. B. mehr als 30.000 *McDonald's*-Restaurants in den USA, die als Franchise betrieben werden.

Der Unterschied zwischen *Drive-in* und *Drive-thru*

In den USA parkt man bei einem *drive-in* an individuellen Wechselsprechanlagen, die rund um das jeweilige Fast-Food-Restaurant aufgestellt sind, und gibt dort seine Bestellung durch. Einige Minuten später werden Essen und Getränke zum Auto gebracht und in der Regel auf ein Tablett, das am heruntergekurbelten Fenster festgemacht wird, gestellt. Die meisten Leute essen dann gleich an Ort und Stelle im Auto.

Bei einem *drive-thru* bestellt man ebenfalls über eine Wechselsprechanlage, man fährt aber danach kurz an ein Seitenfenster des Restaurants heran, wo einem das Bestellte ins Auto gereicht wird. Viele Schnellrestaurants auf beiden Seiten des Atlantiks bieten diesen Service, der in Deutschland jedoch oft fälschlicherweise als Drive-in bezeichnet wird, womöglich weil es leichter auszusprechen ist. Den Begriff *McDrive*, den *McDonald's* in Deutschland verwendet, gibt es in den USA nicht.

Den *drive-in* gab es lange vor dem *drive-thru*. Der erste *drive-in* wurde 1921 in Dallas unter dem Namen *Pig Stand* eröffnet. Die Firma gleichen Namens, die als erstes Restaurant in Amerika *fried onion rings* anbot und die heute noch Filialen in Beaumont, San Antonio und Houston betreibt, wuchs schnell und die Idee fand viele Nachahmer.

McDonald's läutete in den 1940er-Jahren den Niedergang der *drive-in*-Restaurants ein, als man die Kunden dazu bewegte, sich das Essen selbst vom Gebäude zu holen, statt es sich bringen zu lassen. Überraschenderweise nahm die Kundschaft diesen Rückschritt in Sachen Service hin. Der niedrige Preis der Speisen muss wohl eine Rolle gespielt haben.

1951 begann *Jack in the Box* dann als erstes Unternehmen, das Essen aus einem Seitenfenster des Restaurants ins Auto zu reichen, nachdem es zuvor über eine Wechselsprechanlage bestellt wurde. Damit war der *drive-thru* geboren. Die meisten Fast-Food-Restaurants haben heute diesen Service. Es gibt aber auch viele Banken, Apotheken und andere Geschäfte, die einen *drive-thru* haben. In Las Vegas kann man sogar in einem speziellen *drive-thru* heiraten.

Von den 3.500 Filialen der 60 Jahre alten Fast-Food-Kette *Sonic* einmal abgesehen, sind Drive-in-Restaurants heutzutage nur noch selten zu finden, ebenso wie die Drive-in-Freiluftkinos, in denen man Filme im Auto sitzend anschauen kann. Das erste dieser Drive-ins wurde 1933 in Camden, New Jersey, eröffnet. Mitte der 1950er-Jahre erreichten diese Kinos mit mehr als dreieinhalbtausend Spielstätten ihren Höhepunkt. Heutzutage sind weniger als 600 übrig geblieben.

Das Tischgebet

26. Juli, Ann Arbor, Michigan

Torsten | Mein Opa hat immer diesen Spruch gehabt, den von der Kirche im Dorf lassen und so. Nun ja, die Amerikaner lassen die Kirche jedenfalls nicht dort, nein, sie nehmen sie mit nach Hause – und zwar bis an den Esstisch.

Sarah hatte für uns heute Abend eine Lasagne gekocht. Als wir alle am Tisch saßen, sagte ich höflich »Guten Appetit!« und wollte schon nach dem Besteck greifen, als Sarah plötzlich meine Hand nahm und auch die von Mark, der schon Susannes kleine Hand in seiner gewaltigen Krankenpflegerpranke hielt. Was zum Teufel war denn jetzt los?

Während Mark und Sarah den Kopf gesenkt hatten und Susanne und ich uns fragend ansahen, fing Mark mit dem Beten an. Das Ganze zog sich in die Länge. Mark sagte irgendwas von Brot (obwohl wir doch Lasagne essen würden) und auch unsere Namen fielen. Am Ende folgte Marks »Amen!«, auch Sarah sagte »Amen!« und drückte meine Hand gleichzeitig etwas fester.

Susanne stimmte ebenfalls mit einem »Amen!« ein und sah mich eindringlich an. Ich aber wollte nichts sagen, schließlich bin ich kein Christ – und überhaupt, so ein Gruppenzwang war doch wohl eher typisch für den Ostblock gewesen, und diese Zeiten sind ja nun Gott sei Dank vorbei. Mark und Sarah sahen mich ebenfalls erwartungsvoll an, aber nachdem wir uns alle etwa drei Sekunden lang angestarrt hatten, begann Mark einfach wortlos mit dem Essen. Nichts von wegen »Guten Appetit!« oder so. Ich habe zwar keine Ahnung, wie man das auf Englisch sagt, aber jedenfalls sagte er gar nichts in dieser Richtung. Ich befürchtete schon, dass er sauer war, weil ich nicht mitgebetet hatte. Dann aber fingen er und Sarah an, sich ganz normal mit uns zu unterhalten, so als ob überhaupt nichts gewesen war, und wir hatten noch einen sehr schönen Abend zusammen.

Nachtragend schienen die beiden jedenfalls nicht zu sein. Wahrscheinlich waren sie als Christen einfach sehr geübt im Vergeben ... Nur zweimal bemerkte ich, wie sich die beiden vielsagend anschauten, das erste Mal, als ich mir nach dem Essen die Nase laut ausschnaubte, und dann eine Minute später, als ich zu Sarah sagte, dass ihre Lasagne »nicht schlecht« war. Warum sie daraufhin ganz still war, weiß ich nicht, aber manche Leute werden ja verlegen, wenn sie gelobt werden.

Susanne | Also, ich bin ja auch nicht christlich, aber wir sind doch hier Gäste und irgendwie war es doch auch nett, dass Sarah und Mark für uns gebetet haben. Da muss man sich doch nicht so anstellen und auf seinem Standpunkt beharren.

Was ist diesmal schiefgelaufen?

Drei Viertel der Amerikaner haben eine mehr oder weniger religiöse Lebenseinstellung und insbesondere das Christentum spielt in den USA eine weitaus größere Rolle, als das vielerorts im deutschsprachigen Raum heutzutage noch der Fall ist. Daher kann es durchaus sein, dass man bei einer Familie zu Gast ist, die vor dem Essen ein Tischgebet bzw. das Vaterunser spricht. Die Höflichkeit gebietet es, sich diesem nicht aktiv zu entziehen oder zu verweigern, auch wenn Sie selbst z. B. Atheist sind.

Diskussionen und abwertende Bemerkungen zum Thema Religion sollte man in den USA darüber hinaus ganz generell vermeiden, insbesondere am Arbeitsplatz. Für die meisten Amerikaner ist Religion ohnehin eine Privatangelegenheit und auf die Religionsgemeinschaft und das Zuhause beschränkt.

Das Amen am Ende des Gebetes und damit unmittelbar vor dem Essen nimmt zudem in gewisser Weise auch die Funktion des »Guten Appetit!« ein. Wenn vor dem Essen nicht gebetet wird, z. B. wenn Sie mit einer weniger religiösen Familie oder im Restaurant essen, sollten Sie daher nicht überrascht sein, wenn die am Tisch Sitzenden einfach drauflos essen. Zwar kann man *»Enjoy your meal!«* sagen (und die Kellner sagen das auch in der Regel, nachdem sie das Essen auf den Tisch gestellt haben), man muss es aber nicht. Auch steht es eher den Gastgebern zu, dies zu sagen, insbesondere wenn diese das Essen zubereitet haben.

Mit Lob sollte man allerdings nicht sparen, wenn man zum Essen eingeladen wurde. Die deutsche Redewendung »nicht schlecht«, also *not bad*, reicht da nicht aus. Stellen Sie sich einmal vor, dass Sie sich in der Küche abgerackert haben und Ihre Gäste bezeichnen das Essen dann mit »ganz gut«. Sagen Sie daher lieber, dass das Essen *great* (großartig) oder *yummy* (lecker) war, auch wenn das etwas übertrieben scheint oder das Essen vielleicht wirklich nicht so besonders geschmeckt hat.

Wenn Sie sich längere Zeit in den USA aufhalten, werden Sie feststellen, dass Amerikaner mit Lob generell sehr großzügig umgehen und insbesondere Kinder für jede Kleinigkeit gelobt werden. Daran muss man sich zwar erst einmal gewöhnen, aber wenn man es einmal genauer betrachtet, wird man feststellen, dass viele Situationen dadurch eine positivere Atmosphäre haben und dass Kinder in richtigen Verhaltensweisen bestärkt werden. Damit wird die in Amerika vorherrschende Einstellung, dass sich jedes Problem bewältigen lässt, wenn man es nur will, schon von Kindesbeinen an entwickelt. Wie realistisch und lebensnah ein solches Herangehen ist und ob den Kindern damit wirklich ein Gefallen erwiesen wird, darüber kann man sich natürlich streiten. Aber hier soll es ja in erster Linie darum gehen, Dinge zu erklären, die man in den USA beobachten kann, und nicht darum, ob sie letztendlich auf der Grundlage unserer eigenen Maßstäbe wirklich Sinn machen. Also sparen Sie nicht mit Lob, auch wenn Sie sich dabei anfangs vielleicht ein wenig merkwürdig vorkommen.

Eine andere Sache, die sich für Sie als Neuling in den USA möglicherweise als gewöhnungsbedürftig erweisen wird, ist die Abneigung der Amerikaner gegenüber dem Nase ausschnauben in Gemeinschaft – und besonders am Esstisch. Hier erwartet man eine gewisse Diskretion. Falls Ihnen nur die Nase läuft, können Sie ohne Weiteres ein Taschentuch benutzen, ein lautes Ausschnauben sollten Sie jedoch, anders als Torsten das tat, vermeiden. Gehen Sie am besten kurz auf die Toilette oder zumindest aus dem Raum.

Trennung von Staat und Kirche – oder doch nicht?

In der amerikanischen Verfassung sind sowohl Religionsfreiheit als auch Trennung von Staat und Kirche verankert.

Beide Prinzipien überschneiden sich jedoch in vielen Bereichen. So steht z. B. auf amerikanischen Geldscheinen und Münzen *In God We Trust* (Wir vertrauen auf Gott). Auch kann man Geldbeträge, die man religiösen Organisationen spendet, von der Steuer absetzen. Anders als in Deutschland treibt der Staat jedoch keine Kirchensteuer ein; man gibt vielmehr das Geld, oft zehn Prozent seines Einkommens, selbst an die jeweilige religiöse Vereinigung bzw. Kirche, in der man Mitglied ist.

Die Trennung von Staat und Kirche untersagt organisiertes Gebet und Religionsunterricht an öffentlichen Schulen. Wer diese Dinge jedoch für wichtig hält, kann sein Kind auf eine private Schule schicken, die von einer Religionsgemeinschaft getragen wird. Insbesondere katholische Schulen sind aufgrund ihrer starken Ausrichtung auf Disziplin und Unterrichtsqualität auch bei nicht- oder andersreligiösen Eltern beliebt. Der Besuch dieser Schulen ist aber oft mit recht hohen Gebühren verbunden.

Die bereits erwähnte Trennung von Staat und Kirche trifft auf den Unwillen einiger sehr konservativer Christen. Diese einflussreiche politische Strömung, die als sogenannte *Christian Right* in der Republican Party beheimatet ist, hat u. a. die Zulassung von Gebeten in staatlichen Schulen und das landesweite Verbot von Abtreibungen zum Ziel. Für die meisten Amerikaner ist Religion jedoch eine Privatangelegenheit, über die außerhalb der Familie und der Glaubensgemeinschaft nicht gesprochen wird.

Religiosität in Zahlen

Rund 71 % der in den USA lebenden Menschen sind Christen; ungefähr 2 % sind Juden; Buddhisten, Muslime und Hindus machen jeweils etwa 1 % aus.

Zu den Christen: 25 % der Bevölkerung sind fundamentalistische Evangelikale und 15 % Protestanten mit moderater Theologie, 21 % sind Katholiken, 6,5 % schwarze Protestanten, 1,6 % Mormonen und 1 % Zeugen Jehovas. Hinzu kommt eine Vielzahl kleinerer Glaubensgemeinschaften. 42 % der amerikanischen Christen wechseln mindestens einmal im Leben die Glaubensrichtung.

Die Zahl der Christen ist in den Jahren 2007 bis 2014 von 78 % auf 71 % gefallen. Im gleichen Zeitraum ist der Bevölkerungsanteil, der sich keiner Glaubensgemeinschaft zugehörig zählt, von 16 % auf beinahe 23 % gestiegen. Besonders bei der Generation der *Millennials,* also der 18 bis 34 Jahre alten Amerikaner, zeigt sich ein zunehmendes religiöses Desinteresse: 34 % der Altersgruppe 25–33 und 36 % der Altersgruppe 18–24 fühlen sich keiner Religion zugehörig. *(Quelle: Religious Landscape Study, Pew Research Center, 2014)*

Waschbären und die Pest

27. Juli, Ann Arbor, Michigan

Susanne | Unsere Gastgeber sind, und das hat mich sehr überrascht, leider nicht sehr tierlieb, von ihrem eigenen Hund einmal abgesehen. Ich hatte mich heute Morgen, Torsten schlief noch, mit einer Tasse Kaffee auf die Veranda hinterm Haus gesetzt. Als ich mir gerade eine Zigarette anstecken wollte, rannten plötzlich vier kleine Waschbären durchs Gras. Die waren bestimmt erst ein paar Wochen alt und sahen sehr putzig aus. Ich bin natürlich gleich hin zu ihnen. Das Gras war noch ganz kühl und nass unter meinen nackten Füßen. Die kleinen Waschbären waren ganz lieb und sind um meine Füße herumgetollt. Max hat wie verrückt hinter der Verandatür getobt. Wahrscheinlich wollte er mitspielen.

Plötzlich stand jedoch Sarah mit ärgerlichem Gesicht auf der Veranda und rief nach Mark. Ich sagte ihr, dass ich noch nie wilde *Washbears* gesehen hatte. »*Washbears?*«, fragte Sarah zurück und sagte dann noch etwas von der Pest. Übertragen Waschbären etwa die Pest? Das war mir neu und außerdem waren wir doch nicht mehr im Mittelalter!

Mark kam mit dem Handy in der Hand nach draußen. Er bedeutete mir, auf die Veranda zu kommen. Wir gingen alle ins Haus, Sarah schloss die Tür und sprach wieder von der Pest, vor der sie anscheinend ganz schön Angst hatte, womöglich weil sie schwanger war. Eine halbe Stunde später kam dann tatsächlich ein Pick-up mit der Aufschrift *Pest Control* vorgefahren. Ein uniformierter Mann stieg aus und nahm Gitterkäfige von der Ladefläche, die er dann im Garten aufstellte und in die er etwas Weißes hineinlegte. Wahrscheinlich Gift!

Heute Abend, gleich nach Einbruch der Dunkelheit, werde ich mich in den Garten schleichen und die giftigen Köder aus den Käfigen nehmen. Ich habe jedenfalls keine Angst vor der Pest und die kleinen Waschbären sind viel zu niedlich, um einfach vergiftet zu werden!

Torsten | Nun ja, diese Angst vor der Pest ist wirklich etwas übertrieben, aber ich glaube, wir sollten uns da nicht einmischen. Trotzdem frage ich mich, warum wir in Deutschland noch nie etwas von der Pestgefahr in Amerika gehört haben.

Was ist diesmal schiefgelaufen?

Die Bezeichnung Waschbär kennen die Amerikaner nicht; bei ihnen heißt dieses Tier *raccoon*. In der Regel finden sie diese nachtaktiven Vierbeiner auch nicht besonders putzig, sondern betrachten sie eher als lästige Plagegeister. Das liegt in erster Linie daran, dass sich Waschbären im menschlichen Umfeld sehr wohl fühlen und ihre Bevölkerungsdichte in Städten bis zu 20 Mal höher als in der Natur ist. Zudem sind Mülltonnen, die sie mit ihren Pfoten geschickt öffnen können, ihre Hauptnahrungsquelle. Die meisten Leute haben leichte Plastiktonnen hinter ihrem Haus stehen, die von den Waschbären einfach umgeworfen, geöffnet und dann nach Essbarem durchsucht werden. Dabei wird der Inhalt der Mülltonnen im Umkreis verstreut und muss dann am nächsten Morgen wieder eingesammelt werden. Zusätzlich nisten sich Waschbären gerne auf Dachböden und in Zwischenwänden ein und machen dort mitunter viel Lärm, insbesondere zur Paarungszeit.

Da das englische Wort für Plage *pest* ist, hatte Sarah jedoch nicht Angst vor der mittelalterlichen Seuche, sondern machte nur ihrem Ärger über die nervenden Waschbären Luft. Wer Waschbären in seinem Haus oder Garten findet, kann einen Service rufen, der in der Regel *pest control* heißt und im Branchentelefonbuch unter diesem Stichwort zu finden ist. Die *pest control* stellt Fallen auf und setzt die eingefangenen Tiere dann meist im Wald aus.

Die in Deutschland lebenden Waschbären sind allesamt Nachkommen von Tieren, die Mitte des 20. Jahrhunderts hauptsächlich zur Pelzerzeugung aus Amerika eingeführt wurden. Einige wurden in den 1930er-Jahren ausgesetzt bzw. konnten durch Kriegseinwirkungen in den 1940er-Jahren aus ihren Gehegen entkommen. In Deutschland weist allerdings nur die Stadt Kassel eine Waschbärbevölkerung auf, die mit denen amerikanischer Städte zu vergleichen ist.

Marshmallows & s'mores

Die besten Köder für Waschbären sind merkwürdigerweise *marshmallows*, d. h. schwammartige weiße Süßigkeiten aus Geliermittel und Zucker, die von Amerikanern gerne auf Stöcke gespießt, über dem Lagerfeuer geröstet und dann zusammen mit einem großen Stück Schokolade zwischen zwei *graham crackers* gepresst als sogenannte *s'mores* gegessen werden.

Die Bezeichnung *marshmallow* stammt übrigens daher, dass diese Süßigkeit ursprünglich aus den Wurzeln der Sumpfmalve (*marsh* = Sumpf, *mallow* = Malve) hergestellt wurde. Das Wort *s'more* ist eine Verkürzung von *some more* und stammt aus den 1920er-Jahren, als die *girl scouts* (Pfadfindermädchen) diese anscheinend erstmalig am Lagerfeuer zubereiteten.

Vorsicht vor wilden Tieren!

An dieser Stelle sei darauf hingewiesen, dass Sie wilde Tiere natürlich nicht berühren sollten, da es in den ganzen USA, ausgenommen in Hawaii, Tollwut gibt. Falls Sie von einem wilden Tier gebissen werden, ist es ratsam, schnellstmöglich einen Arzt aufzusuchen und sich gegen Tollwut impfen zu lassen. Wenn Sie nachtaktive Tiere wie Waschbären, Stinktiere *(skunks)*, Beutelratten *(opossums)* und Fledermäuse *(bats)* während des Tages sehen, sollten Sie besonders vorsichtig sein, da es sich hier oft um kranke Tiere handelt. Wenn Sie von einem Hund gebissen werden, ist es ratsam, sich vom Besitzer den Nachweis über die gesetzlich vorgeschriebene Tollwutimpfung erbringen zu lassen.

Gesundheit!

27. Juli, Ann Arbor, Michigan

Torsten | Heute wollten wir unsere mitgebrachten Euros umtauschen gehen. Also machten wir uns auf den Weg ins Stadtzentrum. In der *Main Street* hatten wir gestern beim Vorbeifahren mehrere Banken entdeckt und da wollten wir zuerst einmal die Umtauschkurse vergleichen.

Als wir in die *Bank of America* reinmarschierten, wurden wir auch freudig begrüßt. Ich hielt nach einem Schild mit dem Umtauschkurs Ausschau, konnte aber keines entdecken. Die Frau hinter dem Schalter schüttelte den Kopf, als ich ihr unsere Euros zeigte und sie meinte, dass sie diese nicht umtauschen würden. Merkwürdig. Also gingen wir zur *Chase Bank* auf der anderen Straßenseite. Die wollten auch keine Euros! Der Mann hinter dem Schalter sagte uns aber, dass wir zu einem Reisebüro bei der Uni gehen sollten. Er schrieb die Adresse auf und malte sogar eine kleine Skizze. Wir machten uns also auf den Weg.

Die Fußgängerampeln sind hier in den USA übrigens etwas anders als zu Hause. Ein weißes Männchen zeigt an, dass man die Straße überqueren darf und eine orange

Hand bedeutet, dass man warten muss. Bevor die Ampel auf Gehverbot umschaltet, blinkt die Hand aber erst einmal für einige Sekunden, damit man weiß, dass man sich beeilen muss. Bei einigen Ampeln laufen auch wie bei einem Countdown die Sekunden rückwärts, die man noch Zeit hat, um sicher über die Straße zu kommen. Viele Leute kümmern sich jedoch überhaupt nicht um die Ampeln und gehen einfach rüber, wenn kein Auto kommt. Susanne und ich haben uns da beinahe in aller Öffentlichkeit in die Haare gekriegt, denn sie wollte sich unbedingt an die Anordnung der Ampel-Hand halten und warten, obwohl weit und breit kein Auto zu sehen war. Susannes uneingeschränkter Respekt vor der Staatsmacht ist manchmal wirklich nicht normal und schließt auch Ampeln nicht aus.

Nachdem wir die *Liberty Street* hoch gelaufen waren, und dabei drei weiteren Ampeln unsere Unterwürfigkeit beweisen mussten, kamen wir an einem großen Buchladen vorbei und gingen dort rein, um nach einem Reiseführer für Chicago zu schauen. Es gab mindestens zehn verschiedene Bücher, von denen wir das billigste kauften, da wir ja nur ein paar Tage in Chicago bleiben werden. Was mir in dem Buchladen besonders auffiel, waren die vielen Preisreduzierungen.

Gleich beim Eingang gab es ein Regal mit den aktuellen Bestsellern, die allesamt 40 % im Preis gesenkt waren. Susanne meinte, dass es in den USA keine Buchpreisbindung wie bei uns gäbe.

Der Reiseführer für Chicago kostete 10,95 Dollar, so stand es jedenfalls auf dem aufgeklebten Sticker auf der Rückseite. An der Kasse wollten sie dann aber plötzlich 11,63 Dollar. Ich dachte erst, das sei ein Fehler, aber der Verkäufer bestand auf den Preis. Mir war heute nicht nach Diskutieren zumute und ich hatte auch irgendwie das Gefühl, dass das wahrscheinlich seine Richtigkeit hatte, denn der Verkäufer war sich ganz sicher gewesen, dass alles stimmte. Ich hatte ihm ja den Preis auf dem Buch gezeigt und er hatte genickt und dann etwas gesagt, was ich nicht verstand.

Am Ende war ich froh, dass ich nicht weiter rumdiskutiert habe, denn ein Blick auf den Kassenzettel verschaffte Aufklärung: Zum Preis des Buches wurden noch sechs Prozent Verkaufssteuer hinzugerechnet. Bei uns in Deutschland ist das besser, finde ich. Wenn die Mehrwertsteuer schon im Preis mit drin ist, weiß man wenigstens, was etwas wirklich kostet und wird nicht an der Kasse überrascht.

Die nächste Überraschung kam, als wir aus dem Buchladen heraustraten und ich plötzlich laut niesen musste – das war aber auch wieder kalt gewesen in dem Laden! Ein glatzköpfiger Mann, der uns entgegen kam, sagte freundlich »Gesundheit!«, worauf ich ein fröhliches »Danke« erwiderte und fragte, ob er wüsste, wo das Reisebüro sei, das wir zum Geldwechseln suchten. Der Mann lachte und sagte: »*I'm sorry, Sir, I don't speak German!*«

Aber hatte er nicht gerade »Gesundheit!« gesagt? Nun gut, ich erklärte ihm mein Anliegen dann eben noch mal auf Englisch und er zeigte uns auf unserer Skizze, wo wir hinmussten. In dem Reisebüro haben sie dann auch unser Geld umgetauscht, aber irgendwie war das alles doch sehr umständlich. Falls wir noch einmal hierher kommen, werden wir alles schon zu Hause umtauschen oder einfach Geld am Automaten abheben.

Sales tax

Grundsätzlich enthalten Preisangaben in den USA, sowohl bei Waren als auch bei Dienstleistungen, noch nicht die Verkaufssteuer. Diese wird erst an der Kasse dazugerechnet und ist je nach Bundesstaat unterschiedlich hoch. Meistens liegt sie bei sechs Prozent, in manchen Staaten beträgt sie jedoch nur drei und in anderen wiederum bis zu neun Prozent. Fünf Staaten, nämlich Alaska, Delaware, Montana, New Hampshire und Oregon, kommen ganz ohne Verkaufssteuer aus. In Hawaii werden nicht die Kunden direkt, sondern die Unternehmen besteuert. Manche Staaten erheben eine relativ geringe Verkaufssteuer, wie New York mit vier Prozent, aber dazu kommen dann noch von den Lokalverwaltungen erhobene Verkaufssteuern, sodass diese bei Kunden in New York City beispielsweise am Ende fast neun Prozent betragen. In einigen Staaten werden Lebensmittel besteuert, in anderen nicht. In Michigan z. B. sind Nahrungsmittel aus dem Laden steuerfrei, im Restaurant wird die *sales tax* jedoch erhoben, weil hier theoretisch nicht das Essen, sondern der Service besteuert wird.

Was ist diesmal schiefgelaufen?

Bargeld sollte man am besten schon zu Hause oder gleich nach der Ankunft auf dem Flughafen umtauschen. Während die meisten Banken in den USA keinen Umtausch von Euro in Dollar vornehmen, zahlen sie jedoch Reiseschecks *(traveler's checks)*, die in US-Dollar ausgestellt sind, in der Regel ohne Weiteres aus. Diese werden auch in größeren Geschäften als Zahlungsmittel entgegengenommen, wo Sie dann das Wechselgeld in bar bekommen. Wichtig: Die zweite Unterschrift auf den Reiseschecks sollten Sie immer erst in Gegenwart des Kassierers leisten.

Bargeld brauchen Sie hauptsächlich für Parkuhren, Getränkeautomaten und mitunter auch für Cafés und Kneipen. Die meisten Geschäfte und Restaurants akzeptieren jedoch auch Kreditkarten aller Art. Beim Mieten eines Autos oder beim Buchen eines Hotelzimmers sind diese sogar unverzichtbar. Mit Visa und Mastercard können Sie praktisch überall bezahlen, bei American Express und Discover gibt es Einschränkungen. Falls ein Restaurant nur Bargeld akzeptiert, was z. B. in New York City oft der Fall ist, weist normalerweise ein Schild mit der Aufschrift *cash only* darauf hin.

Gesundheit!

Wenn jemand niest, sagen die Amerikaner entweder *»Bless you!«* oder »Gesundheit!«, und der Nieser wird sich dann in der Regel dafür bedanken. Viele Amerikaner sagen »Gesundheit«, ohne zu wissen, was dieses von den deutschen Einwanderern mitgebrachte Wort bedeutet. Falls Sie niesen müssen, sollten Sie unmittelbar nach dem Niesen *»Excuse me!«* sagen.

Andere häufig verwendete Wörter deutschen Ursprungs sind: angst, blitzkrieg, doppelganger, hausfrau, hinterland, kindergarten, kitsch, rucksack, schadenfreude, wanderlust, weltschmerz, wunderkind und zeitgeist.

Andere Länder, andere Kneipensitten

28. Juli, Ann Arbor, Michigan

Torsten | Mark und Sarah mussten gestern Abend länger arbeiten und so sind wir alleine in eine nahe gelegene Kneipe mit dem Namen *Old Town* gegangen. Vor dem Ersten Weltkrieg hatte diese Kneipe »Bismarck« geheißen, so stand es jedenfalls auf der Rückseite der Speisekarte. Wie Mark und Sarahs Haus befand sie sich ebenfalls in der *Liberty Street*, die früher einmal Freiheitsstraße hieß. Sie war in einem dreistöckigen Backsteingebäude untergebracht. Drinnen in der Kneipe waren die gemauerten Wände ebenfalls unverputzt, was für eine gemütliche Atmosphäre sorgte. An der Wand hing ein riesiges Gemälde mit einer nackten Frau. Merkwürdig – ich dachte immer, die Amerikaner seien so prüde ... Daneben hing eine eingerahmte Zeitung aus dem Jahr 1945 mit der Schlagzeile *Germany surrenders*. Ich nehme mal an, dass damit die deutsche Kapitulation gemeint war. An jenem Tag ging es hier bestimmt hoch her und in Deutschlands Kneipen war tote Hose.

Im *Old Town* war gestern Abend allerdings auch nicht viel los, aber immerhin hatten sie dort Hacker-Pschorr

Weißbier aus dem besiegten Deutschland. Am Nachbartisch sah ich ein großes Glas stehen, das wie die amerikanische Version eines deutschen Maßglases aussah. Ich bedeutete der Kellnerin, dass ich so ein Glas voll Weißbier wollte. Susanne bestellte eine Cola Light mit den Worten: »*I become a Cola Light.*« Die Kellnerin schaute sie zuerst leicht verwirrt an, kritzelte dann aber doch etwas auf ihren Notizblock. Als sie weg war, klärte ich Susanne auf, dass »*I become*« auf Deutsch »ich werde« bedeutet. »Du wirst eine Cola Light!«, lachte ich und sie schaute genervt zurück.

Nach ein paar Minuten kam die Kellnerin wieder und stellte das große Glas Hacker-Pschorr in die Tischmitte und mir ein kleines Glas vor die Nase. Susanne bekam eine dünne, durchsichtige Flasche, in der oben ein Stück Zitrone steckte, und ebenfalls ein Glas. Der Inhalt der Flasche sah aber nicht wie Cola aus, sondern eher wie Bier. Ich gab der Kellnerin das kleine Glas zurück und begann aus dem großen Glas zu trinken. Es übertraf einen Maßkrug von der Größe her sogar noch deutlich (die Amis denken anscheinend auch hier in anderen Dimensionen) und außerdem war es aus Plastik und deshalb unerwartet leicht (die Kellnerin sah mich dabei total verdutzt an). Derweil hielt Susanne ihre Flasche in die Luft und wiederholte ihren Wunsch so, wie ich es ihr gesagt hatte: »*I want a Cola Light!*«

Die Kellnerin entschuldigte sich: »*I thought you said Corona Light*«, und fügte hinzu: »*We have Coke and Diet Coke.*«

Susanne sah mich ratlos an, ich sagte *Diet Coke* und dachte, während ich einen weiteren Schluck aus dem unhandlichen Plastikglas nahm: »Ohne mich wäre Susanne hier aufgeschmissen!« Ich lächelte sie an und sah dann, wie am Tisch hinter ihr jemand Bier aus so einem großen Glas, wie ich eines hatte, in ein kleineres Glas goss. Eines war klar: Die Amis haben merkwürdige Kneipengewohnheiten! Was es wohl mit diesem Umgießen des Bieres auf sich hat?

Unsere Kellnerin war aber sehr nett und erkundigte sich mehrmals nach unserem Wohlbefinden. Ich gab ihr dann auch zwei Dollar Trinkgeld. Die hatte sie sich wirklich verdient! Sonderlich zu freuen schien sie sich aber nicht. Als ich sie dann auch noch fragte, wo die Toilette war, schaute sie verwundert und sagte mit starker Betonung, dass sich der *restroom* ganz hinten im Restaurant befand.

Das war, wie gesagt, gestern Abend. Heute Morgen sind wir mit Mark, der sich einen Tag für uns freigenommen hatte, zum Brunch gegangen. Wir waren in einem Restaurant namens *Cafe Zola* und haben dort superleckere Crêpes gegessen. Hätte nicht gedacht, dass es die in den USA gibt.

Der Laden war gerammelt voll, Mark ließ uns in eine Warteliste eintragen und nach 20 Minuten bekamen wir einen Tisch zugewiesen. Das Essen war dann auch ganz schnell da, worauf Mark uns erklärte, dass die Kellner ihre Gäste sehr zügig abfertigen, weil sie den Tisch so schnell wie möglich für die nächsten Gäste freibekommen wollen. Er musste es ja wissen, denn er hatte während des Studiums als Kellner gearbeitet. »Ich habe die deutschen Touristen übrigens immer gehasst«, sagte er schmunzelnd, »da konnte man das Trinkgeld gleich vergessen.« – »Warum denn?«, wollte ich wissen. »Die haben entweder nicht gewusst, wie das hier mit dem Trinkgeld funktioniert, oder haben sich einfach dumm gestellt.« Ich musste ihn in dem Moment blöd angeguckt haben, denn er fügte hinzu: »Ihr wisst doch, dass die Kellner hier in Amerika fast nichts verdienen und dass man darum 20 % Trinkgeld gibt?«

»Klar doch«, sagte ich, während ich mir eiligst einen großen Crêpes-Happen in den Mund steckte und im Geiste die arme Kellnerin von gestern Abend vor Augen sah, wie sie ihren Kindern heute zum Frühstück, das nur aus trockenem Brot bestand, in einem Atlas zeigte, wo Deutschland – das Land der Geizhälse – lag.

Was ist diesmal schiefgelaufen?

Leider haben Deutsche bei amerikanischen Kellnern einen schlechten Ruf. Schuld sind die mickrigen Trinkgelder, die deutsche Touristen in der Regel aus Unwissenheit, manchmal aber auch aus Geiz geben. Bitte denken Sie bei Ihrem USA-Aufenthalt daran, dass amerikanische Kellner von ihrem Arbeitgeber fast immer nur den gesetzlichen Mindestlohn bekommen. Im gastronomischen Bereich sind dies lediglich zwei Dollar pro Stunde. Die Kellner sind deshalb auf Trinkgelder angewiesen, um überhaupt ein nennenswertes Einkommen zu haben. Das weiß in den USA jeder und gibt deshalb bei durchschnittlichem Service etwa 15 % und bei gutem und sehr gutem Service 20 % Trinkgeld. Die zwei Dollar, die Torsten der Kellnerin gab – das wurde ihm ja dann beim Frühstück selber klar – waren sicherlich nicht ausreichend.

Und was er für einen überdimensionierten amerikanischen Maßkrug hielt, war in Wirklichkeit ein *pitcher*, in dem man sich in vielen amerikanischen Kneipen das Bier bringen lassen kann. Dazu bekommt man Gläser, in die man sich und den anderen Leuten am Tisch dann nach Bedarf selber einschenken kann. Ein *pitcher* ist normalerweise aus durchsichtigem Plastik hergestellt und fasst 60 *ounces* (1,77 Liter). Ansonsten stehen in den meisten Kneipen zwei Glasgrößen zur Auswahl, wenn man Bier vom Fass kauft: Ein *pint* fasst 473 Milliliter und ein *25 oz. (twenty-five ounce) mug* fasst 750 Milliliter. Die Gläser, die man zum *pitcher* oder zu einer Flasche Bier dazubekommt, fassen dagegen lediglich zwischen 250 und 330 Milliliter.

Coca-Cola Light heißt in den USA *Diet Coke*. Mit der Bezeichnung *Cola Light* können Amerikaner nichts anfangen. Jedoch gibt es von einigen weitverbreiteten Biersorten, wie z. B. *Bud*, *Miller* und *Corona*, Versionen mit einem geringeren Alkoholgehalt und weniger Kalorien, die dann im Namen den Zusatz *Light* bzw. *Lite* haben, also *Bud Light*, *Miller Lite* und *Corona Light*. Deshalb dachte die Kellnerin *Corona Light* zu hören, als Susanne eine *Cola Light* bestellte.

Ein »*I want …*« klingt zudem recht unhöflich. Beim Bestellen sollte man daher »*I would like …*« bzw. »*I'd like …*« oder »*I'll have …*« bzw. »*Can I have …?*« sagen und am Ende der jeweiligen Redewendung noch *please* hinzufügen. Aber da man in der Regel als Ausländer zu erkennen ist, sind amerikanische Kellner in dieser Beziehung geduldig. In kleineren Städten ist man allerdings nicht an ausländische Akzente gewöhnt, sodass man Sie unter Umständen bitten wird, das Gesagte zu wiederholen. Falls Sie jedes Missverständnis von vornherein vermeiden wollen, sollten Sie beim Bestellen gleichzeitig auf der Speisekarte auf die gewünschten Getränke und Speisen tippen.

Bitte beachten Sie, dass der Kellner zuerst einmal nur die Bestellungen für die Getränke entgegennimmt. Wenn er diese dann gebracht hat, wird er Sie auch nach möglichen Speisewünschen fragen. Falls Sie zu diesem Zeitpunkt noch keine Wahl getroffen haben, können Sie um Aufschub bitten, indem Sie *»I think I need another minute …«* sagen. Der Kellner wird dann erst einmal wieder verschwinden. Sobald Sie jedoch zum Bestellen bereit sind, sollten Sie die Speisekarte schließen und auf den Tisch legen. Das signalisiert dem Kellner, dass Sie Ihre Auswahl getroffen haben.

Ein ganz anderes Thema ist, dass Torsten sich über das Gemälde mit der nackten Frau gewundert hatte, da dieses zur angeblichen Prüderie der Amerikaner im Widerspruch steht. Das überrascht nicht, denn dieses Vorurteil hält sich in Europa noch immer sehr hartnäckig. Wer jedoch längere Zeit in den USA lebt, wird feststellen, dass das nicht einmal annähernd stimmt. Nur weil die Frauen sich im Sommer in den Parks und am Strand nicht »oben ohne« sonnen oder es keinen Sex im regulären Fernsehen zu sehen gibt, müssen die Amerikaner noch lange nicht prüde sein. Sie haben Sex genauso gerne wie alle anderen Leute und sprechen im Freundeskreis und auch im Fernsehen gerne darüber – vielleicht sogar mehr als z. B. die Deutschen. Und das Angebot an Sexfilmen und Hardcore Pornos ist unendlich, man muss nur wissen, auf welchen Fernsehsendern und Websites diese zu finden sind. Ob Kinder vor Nacktheit und Sexszenen so sehr zu schützen sind, wie es viele amerikanische Eltern und Behörden finden, ist natürlich Ansichtssache, heißt aber nicht, dass Amerikaner generell verklemmt sind.

Sprechende Toiletten

Die Kellnerin schaute Torsten auf seine Frage nach der Toilette verwundert an, weil er wahrscheinlich nach der *toilet* gefragt hatte. In den USA wird eine Toilette in öffentlichen Gebäuden jedoch als *restroom* oder auch als *ladies' room* bzw. *men's room* sowie in Wohnungen als *bathroom* bezeichnet. Mit dem Wort *toilet* verbinden die Amerikaner dagegen das eigentliche Klobecken.

Da wir gerade beim Thema Kneipenklo sind: Der US-Bundesstaat New Mexico hat sich vor einigen Jahren etwas Neues im Kampf gegen Trunkenheit am Steuer ausgedacht: Sprechende Klosteine, die auf Englisch übrigens die unappetitliche Bezeichnung *urinal cakes* (»Pissoir Gebäck«) tragen, erinnerten den Autofahrer beim letzten Pinkeln vor dem Losfahren daran, dass er doch lieber ein Taxi nehmen oder einen nüchternen Freund fahren lassen sollte.

Ausflug in die Motor City

28. Juli, Ann Arbor, Michigan

Susanne | Heute Nachmittag sind wir mit Sarah und Mark nach Detroit gefahren. Damit wir einen Eindruck von der Gegend bekommen, nahmen wir auf der Hinfahrt nicht die Autobahn, sondern eine Straße, die *Michigan Avenue* hieß und die durch mehrere kleinere Städte führte. Die Fahrt dauerte etwa eine Stunde.

Zuerst fuhren wir von Ann Arbor nach Ypsilanti. Wo die eine Stadt aufhörte und die andere anfing, war schwer zu sagen, denn zwischen den beiden Orten gab es kaum eine unbebaute Fläche, sondern ein Einkaufszentrum und Restaurant neben dem anderen. Irgendwie sah alles gleich hässlich aus und zog sich Kilometer lang hin. Da wo die Stadt Ypsilanti richtig loszugehen schien, deutete Sarah auf einen riesigen Wasserturm und fragte mich, woran der mich wohl erinnere. Mir verschlug es die Sprache: Der gemauerte Turm sah aus wie ein Penis!

»Pisa hat den schiefen Turm und Ypsilanti hat den *brick dick*«, sagte Mark lachend und fügte hinzu, dass die Leute hier den Turm so nennen, weil das so viel wie »Ziegelsteinschwanz« bedeutet. Eine Zeitschrift hatte ihn vor einigen Jahren zum *Most Phallic Building* in der Welt erklärt. Torsten bestand darauf anzuhalten, damit er ein Foto machen konnte. »Das glaubt uns ja sonst keiner!«

Weiter ging es durch eine Gegend, die flach und dicht bebaut war. Wir fuhren durch relativ kleine Städte und vorbei an großen Autofabriken. Dazwischen lagen gammlige Motels mit verrosteten Autos davor, zahllose Tankstellen und Fast Food Restaurants sowie eine Handvoll *Strip Clubs*, auf die uns Mark hinwies. (Ob er da manchmal hingeht?) Insgesamt sah alles viel ärmlicher als in Ann Arbor aus. Es gab auch viel mehr Schwarze. Mark erklärte uns, dass Michigan die höchste Arbeitslosigkeit in den USA hat, weil die Autohersteller durch die weltweite Wirtschaftskrise viele Leute entlassen mussten.

Eine etwas größere Stadt war Dearborn, wo es jede Menge Restaurants und Geschäfte mit arabischer Schrift auf den Schaufenstern gab und wo auch die Firmenzentrale von Ford steht – ein lang gestrecktes Bürogebäude im Stil der 1960er-Jahre mit einem Sonnenblumenfeld davor.

Das Randgebiet von Detroit sah schlimm aus. Die Wohngebiete machten einen total heruntergekommenen und größtenteils verlassenen Eindruck. Weiße sahen wir hier so gut wie keine. Mark sagte, dass es in Detroit Ende der 1960er-Jahre einen Schwarzenaufstand gegeben habe, wo ganze Stadtviertel in Flammen standen. In Folge dieser Unruhen sei ein Großteil der weißen Bevölkerung weggezogen und habe die alten Häuser verfallen lassen. Erst in den letzten paar Jahren gab es einen leichten Aufschwung durch den Zuzug von Tausenden Mexikanern.

Als wir den Rand vom Stadtzentrum mit seinen Hochhäusern erreichten, gab es vielleicht fünf Autos auf der mittlerweile sechsspurigen Straße. Die Stadt war wie ausgestorben. Zugegeben, es war Samstagnachmittag, aber ich habe noch nie eine so menschenleere und heruntergekommene Großstadt gesehen. Kaum Autos oder Fußgänger. Viele der alten Hochhäuser, die mit Sicherheit einmal sehr schön ausgesehen haben, waren komplett leer stehend und ihre Eingänge mit Brettern vernagelt.

Wie eine Oase in dieser Wüste aus Armut lag das *Detroit Institute of Arts*, ein riesiges Kunstmuseum, dessen Sammlung sich mit jedem europäischen Museum messen kann. Alle großen Meister waren vertreten und wir haben einige berühmte Gemälde gesehen, z. B. von Gauguin und Monet! Aber am besten war das riesige Fresko von Diego Rivera, das alle vier Wände und die Decke eines riesigen Raumes in der Mitte des Museums ausfüllte und eine Autofabrik zu Zeiten von Henry Ford darstellte. Ich musste gleich an den Film »Frida« denken, der von der Liebesgeschichte zwischen Diego Rivera und der Malerin Frida

Kahlo handelt. Sogar Torsten, der sich in Museen sonst immer langweilt, fand dieses Fresko toll. Warum es in dieser verfallenen Stadt so ein Wahnsinnsmuseum gibt, habe ich allerdings nicht begriffen – Sarah und Mark konnten mir das auch nicht so richtig erklären.

Nach dem Besuch im Museum sind wir mit dem *Detroit People Mover* gefahren. Das ist eine einspurige Hochbahn, die im Stadtzentrum von Detroit im Kreis fährt. Die ganze Fahrt dauert vielleicht 20 Minuten und man kommt dort wieder an, wo man losgefahren ist. Unterwegs gibt es ein halbes Dutzend Haltestellen. Als Nahverkehrsmittel macht diese Bahn irgendwie keinen Sinn, aber für eine Stadtrundfahrt eignet sie sich ganz gut. Ein kleiner rothaariger Mann, der wie Rumpelstilzchen aussah, versuchte übrigens die Notbremse zu ziehen, aber ein anderer Fahrgast konnte ihn gerade noch daran hindern. Er stieg dann fluchend mit uns am *Renaissance Center* aus. Das sind mehrere futuristisch aussehende und miteinander verbundene Hochhäuser aus Glas und Stahl, die direkt an einem sehr breiten Fluss stehen. Dort ist die Firmenzentrale von *General Motors* untergebracht. Die Haltestelle vom *People Mover* ist auf der einen Seite des Komplexes und man kann durch das *Renaissance Center* hindurchgehen. Über mehrere Rolltreppen und an einigen Geschäften vorbei gelangt man in eine gläserne Halle, von der man eine schöne Aussicht auf den Fluss und auf die kanadische Stadt Windsor hat, die auf der anderen Seite liegt.

Das Wasser war himmlisch blau, und jede Menge Segel- und Motorboote fuhren umher. Sogar ein riesiges Frachtschiff mit britischer Flagge kam zu unserem Erstaunen vorbei. Am Wasser gab es eine Promenade, auf der viele Leute flanierten und Kinder in einem Springbrunnen spielten. Hier sah Detroit endlich wie eine ganz normale Stadt aus.

Wir machten einen schönen Spaziergang am Wasser entlang. Am Ende der Promenade gab es ein Karussell und mehrere Imbissstände, wo Torsten sich natürlich eine Riesenportion Eis kaufte, obwohl wir bald essen gehen würden. Wir setzten uns auf eine Bank und Torsten machte eine abfällige Bemerkung über die vielen dicken Leute, die an uns vorbei liefen, von wegen »fette Amerikaner« und so. Ein schwarzer Mann, der zwar übergewichtig, aber trotzdem sportlich aussah, drehte sich um, schaute Torsten kurz an, sagte »So schlank sind Sie aber auch nicht!« und ging weiter. Torsten blieb der Mund offen stehen und Mark, Sarah und ich lachten uns kaputt. Das geschah ihm Recht. Das ganze Eis und Bier der letzten Jahre sind nun wirklich nicht spurlos an ihm vorbei gegangen. Aber das will er ja nicht wahrhaben.

Hafenstadt Detroit

Der erwähnte Fluss heißt *Detroit River*, ist bis zu vier Kilometer breit und eine viel befahrene Wasserstraße im System der *Great Lakes* (Große Seen). Über ihn und über den *Lake St. Clair* gelangen Schiffe vom *Lake Erie* in den *Lake Huron*.

Schiffe aus Europa können Detroit über den in Kanada gelegenen *St. Lawrence Seaway* und die *Great Lakes* sehr gut erreichen. Die Strecke von Liverpool nach Detroit beträgt 5.911 Kilometer und ist kürzer als die Strecke von Liverpool nach Baltimore an der Ostküste der USA, die 6.334 Kilometer lang ist.

Was ist diesmal schiefgelaufen?

Viele Amerikaner haben Deutsch in der Schule und während des Studiums gelernt. Deshalb sollte man nie davon ausgehen, dass einen die Leute nicht verstehen können. Man sollte also durchaus vorsichtig sein mit dem, was man in der Öffentlichkeit untereinander von sich gibt und vor allem keine abfälligen Bemerkungen machen.

Bitte beachten Sie: Amerikaner geben sich zumeist große Mühe, ihre Mitmenschen sprachlich nicht zu verletzen. Insbesondere rassistische Ausdrücke, egal ob auf Deutsch oder auf Englisch, sollte man grundsätzlich vermeiden, auch wenn sie vielleicht nicht so gemeint sind oder wenn man denkt, dass das cool ist, weil im Fernsehen oder im Kino auch so gesprochen wird. Insbesondere das Wort *nigger* sollten Sie niemals in den Mund nehmen, auch wenn einige schwarze Amerikaner dieses Wort selbst verwenden, insbesondere in Rap-Texten. Wenn Sie selbst nicht schwarz sind, ist dieses Wort für Sie hundertprozentig tabu. Die korrekte Bezeichnung für einen schwarzen Amerikaner ist *African American*.

In diesem Zusammenhang sei auch einmal daraufhin gewiesen, dass Amerikaner im Alltag nicht unbedingt so sprechen, wie wir das aus Filmen kennen – und auch Sie sollten das nicht tun. Sie sind generell gut beraten, sich den Gebrauch von Vulgarismen, wie z. B. *fuck*, grundsätzlich zu verkneifen. Im Fernsehen wird das oft als *F-word* umschriebene *fuck* auf den meisten Sendern durch einen Piepton ausgeblendet. Auch im Radio kann man es nicht hören. Von den betroffenen Songs gibt es oft zwei Versionen, eine fürs Radio und eine für die CD, auf der dann ein Sticker mit einem Hinweis für Eltern *(Parental Advisory)* klebt. Amerikaner wissen natürlich, in welchen Situationen derartige Wörter angebracht sind, aber aus dem Munde von Nichtmuttersprachlern klingen sie zumeist einfach nur ungebildet.

Der Rote Zwerg

Wenn in Detroit der *Nain Rouge*, ein rothaariger Zwerg mit feurigen Augen und Pelzstiefeln, gesichtet wird, naht ein Unglück. Der Gründer Detroits, der Franzose Antoine Laumet de la Mothe Cadillac, wurde 1701 vom *Nain Rouge* attackiert und verlor daraufhin sein Vermögen. Als am 30. Juli 1763 der *Nain*

Rouge wieder gesichtet wurde, starben 58 britische Soldaten in Kämpfen mit Indianern. Das Wasser des Flusses färbte sich rot vom Blut, und der *Nain Rouge* tanzte am Ufer. Im Jahre 1805 wurde er mehrmals an verschiedenen Tagen gesehen, bevor ein Feuer die Stadt zerstörte. Im Krieg des Jahres 1812 nahmen die Briten den Amerikanern Detroit ab, nachdem zuvor der *Nain Rouge* gesichtet wurde. 1884 und 1964 berichteten Einwohner, dass sie von ihm angegriffen wurden. Einen Tag vor Beginn der großen Rassenunruhen des Jahres 1967, bei denen 43 Menschen starben, wurde der *Nain Rouge* ebenfalls gesehen. 1976 sahen Monteure des Elektrizitätswerkes den *Nain Rouge* während eines gewaltigen Schneesturms von einem Mast springen. Und am 28. Juli letzten Jahres waren Torsten und Susanne ihm möglicherweise im *People Mover* begegnet, als er die Notbremse ziehen wollte.

War das etwa ein Zeichen, dass Torsten und Susanne jetzt in noch größere Fettnäpfchen treten werden?

High Noon im Supermarkt

29. Juli, Ann Arbor, Michigan

Torsten | Vorhin waren wir bei *Meijer*. Das ist ein Supermarkt, der immer auf hat. 24 Stunden lang, jeden Tag, auch heute am Sonntag. Auf dem riesigen Parkplatz könnte man eine deutsche Kleinstadt unterbringen. Ein halbes Dutzend Mitarbeiter war damit beschäftigt, die auf dem Areal verstreuten Einkaufswagen wieder einzusammeln, die von den Kunden achtlos zurückgelassen worden waren. Einen Münzpfand wie bei uns gibt es hier offenbar nicht. Wir haben einen armen Kerl gesehen, der circa 50 zusammengesteckte Wagen zurück zum Supermarkt schob. Der musste sich ganz schön ins Zeug legen. Als ich ihm beim Schieben helfen wollte, sah er mich aber ganz verwundert an. Ein herbeigeeilter Kollege schob mich lachend beiseite. Susanne war etwas vorgegangen und tat so, als ob sie mich nicht kannte. Als ich im leichten Laufschritt zu ihr aufschloss, brummelte sie irgendwas von »wieder mal super peinlich«.

Der Supermarkt hatte die Größe einer Messehalle und ein Wellblechdach in mindestens zehn Metern Höhe. Alles war extra hell erleuchtet. Würde mich wirklich mal interessieren, wie viel Strom die so im Monat für die Beleuchtung und die Klimaanlage verschwenden. Es herrschte nämlich eine Eiseskälte. Hier war es noch viel kälter als bei Mark und Sarah im Haus oder im Auto. Den Amerikanern schien das nichts auszumachen, sie rannten allesamt in T-Shirts und kurzen Hosen in dieser gigantischen Kühltruhe herum. Wir wollten uns jedenfalls keine Lungenentzündung holen und gingen erst einmal zurück zum Auto, um unsere Sweatshirts anzuziehen.

Es dauerte eine Weile, bis wir das Milchregal fanden, und als wir dessen Tür öffneten, um einen der gigantischen Milchbehälter herauszunehmen, hörten wir eine ganze Herde Kühe muhen. Susanne fand das äußerst amüsant und öffnete die Tür gleich mehrmals hintereinander. »Wäre das nicht toll, wenn unser Kühlschrank auch muhen würde?«, fragte sie. »Ja, ganz toll«, erwiderte ich mit möglichst neutraler Stimmlage. Als wir beim Gemüse vorbeikamen, donnerte es plötzlich aus versteckten Lautsprechern, und begleitet vom Sound eines Platzregens wurde das Grünzeug mit einem feinen Nebel besprüht. »Willst du das auch? Für deine Topfpflanzen vielleicht?« Susanne tat so, als hätte sie meine Bemerkung nicht gehört.

Nachdem wir an einem endlosen Regal mit den verschiedensten Sorten Toastbrot vorbeigeschritten waren, gelangten wir an das eigentliche Ziel unserer Wanderung durch das Warenlabyrinth: die Bier- und Weinabteilung. Das Bierkühlregal war so lang wie ein Zelt auf dem Oktoberfest, allerdings aus irgendeinem Grund unbeleuchtet. Trotz des Halbdunkels konnten wir jedoch verschiedenste Biersorten ausmachen, die hauptsächlich in kleinen offenen Kartons mit sechs Flaschen (mit einem Griff in der Mitte und drei Flaschen auf jeder Seite) angeboten wurden. Bier in Dosen gab es hauptsächlich in Kartons mit 12 oder 24 Dosen. So ein Karton mit sechs Flaschen kostete um die acht, neun Dollar. Das fand ich doch ganz schön teuer, zumal die Flaschen recht klein waren. Wir fanden schließlich einen Karton *Bud Light* mit 24 Dosen zum Sonderpreis von 17,19 Dollar. Nun gut, da kostete die Dose dann rund 70 Cents. Billigeres Bier gab es hier anscheinend nicht. Da wir keinen Flaschenöffner hatten, waren Dosen sowieso praktischer.

Mit dem Riesenkarton Bier machten wir uns auf den Weg zur Kasse. Als wir an der Reihe waren, scannte die Kassiererin das Bier jedoch nicht, sondern hob den Karton vom Band, reichte ihn rüber zu mir und sagte irgendwas von *»Sunday«*. War das Bier am Sonntag etwa umsonst? Das konnte ich mir dann aber doch nicht vorstellen. Ich stellte den Karton zurück aufs Band und schob ihn entschlossen in Richtung Scanner, worauf die Kassiererin ihn gleich wieder vom Band heben wollte. Ich hielt den Karton fest und hinderte sie daran.

»*I want to buy this!*«, erklärte ich mit fester Stimme. Sie sagte wieder was von Sonntag. Ein bulliger Typ, der hinter mir in der Schlange stand, griff meinen Arm. Jetzt reicht es aber, dachte ich. Diese Amis ticken doch wohl nicht ganz richtig. Der Mann deutete jedoch auf meine Uhr und sagte mit seiner ruhigen, tiefen Stimme auch was von Sonntag und deutete auf dem Zifferblatt auf 12 Uhr. Das kannte ich doch irgendwie ... richtig: *High Noon*! Wollte er mich etwa wie im Western zum Duell herausfordern? Auf dem Parkplatz vielleicht? Ich sah jetzt schon im Geiste die Schlagzeile der Bild-Zeitung:

DEUTSCHER IN DEN USA BEIM BIERKAUF ERSCHOSSEN

»Ich glaube, wir müssen bis um zwölf warten, bis wir Bier kaufen können«, mischte sich Susanne plötzlich in diese Männerangelegenheit ein. »*No beer until 12 o'clock?*«, fragte sie den Mann. Der schien von ihrer Lieblichkeit entwaffnet, ließ sogleich meinen Arm in Ruhe und nickte. »*That's right!*« sagte er lachend. Das ist doch bekloppt, dachte ich. Es war drei Minuten vor zwölf.

Was ist diesmal schiefgelaufen?

Für den Alkoholverkauf am Sonntag gibt es je nach Bundesstaat sehr unterschiedliche Regelungen – zum Teil auch von Ort zu Ort innerhalb der einzelnen Staaten. In Michigan, wo sich Torsten und Susanne zu diesem Zeitpunkt aufhielten, kann man sonntags grundsätzlich erst ab zwölf Uhr mittags Alkohol kaufen. Da werden keine Ausnahmen gemacht, selbst wenn es eine Minute vor zwölf sein sollte. In vielen Staaten darf zudem an Wochentagen zwischen ein oder zwei Uhr nachts und sieben oder acht Uhr morgens kein Alkohol verkauft werden. Höherprozentigen Alkohol kann man in vielen Bundesstaaten zudem nur in *liquor stores* kaufen. In manchen Staaten muss sogar sämtlicher Alkohol in derartigen Spezialgeschäften erworben werden, die sich mitunter, wie in Pennsylvania, sogar in Staatsbesitz befinden. Einige Indianerreservate haben den Verkauf von Alkohol grundsätzlich verboten, um dem in diesen Gebieten weitverbreiteten Alkoholismus Herr zu werden.

Allen Staaten gemein ist das zum Alkoholkauf notwendige Mindestalter von 21 Jahren. Geschäfte, die alkoholische Getränke an jüngere Leute verkaufen, werden mit erheblichen Geldstrafen belegt und verlieren unter Umständen ihre Verkaufsgenehmigung, was nicht selten in den wirtschaftlichen Ruin führt. Deshalb wird das Alter der Käufer durch einen Blick auf deren Führerscheine penibel geprüft. Auch Kunden, die schon wesentlich älter sind, werden im geringsten Zweifelsfall nach ihrer *picture I.D.*, also einem Ausweis mit Bild, gefragt. Zur erhöhten Vorsicht der Geschäftsinhaber trägt auch die Praxis vieler Polizeiverwaltungen bei, erwachsen aussehende Minderjährige auf Testeinkäufe zu schicken und mit aller Härte des Gesetzes zuzuschlagen, falls diesen der Kauf von alkoholischen Getränken gelingen sollte.

In den meisten amerikanischen Supermärkten gibt es mittlerweile U-Scan-Selbstbedienungskassen, und wer Alkohol an einer solchen kaufen will, wird nach dem Scannen von Bier oder Wein auf die Aufsichtsperson warten müssen, die durch die Eingabe eines Zahlencodes bestätigen muss, dass der Käufer alt genug ist, was dann gegebenenfalls ebenso das Vorlegen eines Ausweises erforderlich macht.

Der Alkoholverkauf bei Freiluftkonzerten und Sportveranstaltungen wird unterschiedlich gehandhabt. Das Alter wird meistens schon beim Betreten des Veranstaltungsortes geprüft und man bekommt dann einen Papierstreifen ums Handgelenk geklebt, der einen als Trinkberechtigten ausweist. Zum Teil, und das trifft besonders auf Stadtfeste zu, darf man nur in bestimmten Bereichen trinken, die meistens durch einen provisorischen Zaun abgegrenzt sind.

Damit soll wohl verhindert werden, dass man alkoholische Getränke an Minderjährige weitergibt.

Bei Zigaretten gibt es übrigens ähnliche Beschränkungen wie beim Alkohol. Das Mindestalter für den Zigarettenkauf liegt in den USA bei 18 Jahren, auch hier muss man sich im Zweifelsfall ausweisen können. In Supermärkten werden Zigaretten in der Regel nur am Serviceschalter verkauft. Viele amerikanische Raucher kaufen ihre Zigaretten aber sowieso an der Tankstelle oder im *liquor store*. Auch hier führt die Polizei Testkäufe mit Jugendlichen durch, damit die Ausweiskontrollen eingehalten werden. Es versteht sich daher im Prinzip von selbst, dass es in den USA keine Zigarettenautomaten gibt.

Amerikanische Bierflaschen

Die typische amerikanische Bierflasche, die im 6-Pack verkauft wird, und die amerikanische Bierdose, die es oft im 12- oder 24-Pack gibt, haben jeweils einen Inhalt von 12 *ounces* (355 ml). Viele Bierflaschen in den USA lassen sich mit der Hand öffnen, insbesondere wenn sie von den ganz großen Brauereien wie *Budweiser* und *Miller* kommen. Sie haben dann meistens den Hinweis *twist off* seitlich auf dem Kronverschluss stehen.

Blutbad im Steakhouse

29. Juli, Ann Arbor, Michigan

Torsten | Sarah und Mark hatten uns zum Abendessen in ein richtiges amerikanisches Steakhaus eingeladen. Das Restaurant hieß *Knight's* und war voller alter Leute. Die Einrichtung hätte aus den 1960er- oder 1970er-Jahren sein können. Nahe beim Eingang gab es einen freien Tisch am Fenster, aber als ich mich da hinsetzen wollte, hielt Mark mich zurück und sagte: »Wir müssen hier warten.« Er deutete auf ein Schild neben ihm mit der Aufschrift: *Please wait to be seated.* Ok, wir mussten also warten, bis uns ein Platz zugewiesen wurde. Es kam auch sogleich ein freundlicher Mann und fragte: *»How many?«*

Nachdem Mark ihn informiert hatte, griff der Mann vier Speisekarten und führte uns quer durchs Restaurant und dann noch eine Treppe hoch. »So, ein Quatsch«, raunte ich Susanne zu. »Da war doch ein Tisch gleich beim Eingang frei.« Na, was soll's, wir setzten uns. Der Mann gab uns die Speisekarten und sagte, dass *»John«* gleich kommen würde. Der war dann auch sofort da und goss uns wortlos aus einer Plastikkanne, die meinem Bierglas in der Kneipe *Old Town* in Ann Arbor verblüffend ähnlich sah, Wasser in Gläser.

Susanne sagte freundlich *»Hi, John«*, worauf der wortkarge Kellner sie verwirrt anschaute und verschwand. Merkwürdig, dachte ich, der ist aber nicht nett. Will der denn gar nicht unsere Bestellungen entgegennehmen? Kurze Zeit später erschien ein anderer Kollege und stellte sich mit *»Hi, I'm John. I'll be your server tonight«* vor. Susanne war offenbar total verwirrt, dass der andere Kellner nicht John gewesen war. Ich war jedenfalls geistesgegenwärtiger, gab dem Kellner die Hand und sagte: *»Hi, I'm Torsten.«* Mark schien sich an seinem Wasser zu verschlucken, Sarah kicherte. Der Kellner schüttelte lachend meine Hand und fragte, wo ich herkomme. Nachdem ich geantwortet hatte, dass wir aus Deutschland wären, teilte er mir mit, dass er auch *»German«* sei. Na super, besser kann es gar nicht laufen, dachte ich, da können wir ja auf Deutsch bestellen.

»Also, dann nehme ich ...«, begann ich, worauf mich der angeblich deutsche Kellner lachend unterbrach: *»I'm sorry, Sir, I don't speak German.«* Mark schien sich köstlich zu amüsieren. Susanne sah immer noch total verwirrt aus. Sarah sagte dem Kellner, dass wir noch eine Minute bräuchten und fragte uns dann, was wir trinken wollten. »Cola li... ich meine Diet Coke«, antwortete Susanne stolz. Ich entschied mich für ein Bier: »Ein *Budweiser*.« – »Nimm lieber ein *Sam Adams*«, riet Mark. Das habe ich dann übrigens auch gemacht und nicht bereut – von wegen, die Amerikaner haben kein gutes Bier ...

Beim Bestellen des Essens fragte mich der Kellner, wie ich mein Steak gerne haben wollte. Wahrheitsgemäß antwortete ich: »*Large.*« Damit schien ich den amerikanischen Humor voll getroffen zu haben – zumindest lachte der Kellner laut, bevor er fragte: »*Rare, medium or well done?*« Ich freute mich über den gelungenen Scherz und entschied mich, da unser Steakhaus in der Heimat ein Medium-Steak immer viel zu sehr durchbrät, für *rare*. Mark bestellte das Gleiche. Nachdem der Kellner wieder weg war, meinte Mark, er habe irgendwo gelesen, dass die meisten Restaurants das beste Fleisch für die *rare*-Steaks verwenden und das schlechteste für die durchgebratenen Steaks, da man die mindere Fleischqualität bei Letzteren nicht so leicht bemerken würde. Das leuchtete durchaus ein.

Nachdem wir ein paar Minuten auf dem bereitgestellten Brot herumgeknabbert hatten und Susanne damit beschäftigt war, die Eiswürfel aus dem Glas zu fischen und im Aschenbecher aufzustapeln, brachte der Kellner das Essen. Mir servierte er einen Teller mit einem Stück Fleisch, das von einer ordentlichen Blutlache umgeben war, wie eine Leiche im »Tatort«. Als ich das offensichtlich beinahe rohe Stück Fleisch anschnitt, wurde die Blutlache schnell größer. Susanne sah angewidert auf meinen Teller, sie hatte bloß einen Salat bestellt. Steak war nicht so ihr Ding. Meins in diesem Moment aber auch nicht.

»Das kann ich nicht essen«, sagte ich. »Aber du hast doch *rare* bestellt«, sagte Mark, dessen Teller auch mächtig voller Blut war, denn er war gerade dabei, sein Steak in Streifen zu schneiden. Als er damit fertig war, legte er sein Messer zur Seite, nahm die Gabel in die andere Hand und schob sich genüsslich einen Streifen Fleisch-Sushi in den Mund. Susanne hatte den Blick auf ihren Salat geheftet. Sarah winkte den Kellner heran und sprach von einem Missverständnis und erklärte noch ein bisschen weiter. Dann nahm der Kellner meinen Teller ohne Murren mit und kam fünf Minuten später mit einem neuen Steak, das perfekt Medium gebraten war, zurück. So hatte ich mir das vorgestellt!

Unser Kellner war durch diesen Vorfall offenbar sehr besorgt und kam nun alle paar Minuten zu unserem Tisch, um zu fragen, ob alles in Ordnung sei. Auch am Nachbartisch hatte er wahrscheinlich bei der Bestellung etwas verwechselt, denn dort fragte er ebenfalls ständig nach dem Rechten.

P.S.: Neben dem Restaurant gab es einen Aldi! Wusste gar nicht, dass die auch schon hier in den USA sind. Sah genauso aus wie ein deutscher Aldi.

Was ist diesmal schiefgelaufen?

Eine ganz Menge! Also am besten der Reihe nach. Los ging es schon beim Betreten des Restaurants. Wie Torsten nach dem voreiligen Hinsetzen durch Marks Hinweis auf das Schild mit der Aufschrift *Please wait to be seated* ganz richtig erkannt hatte, muss man in den meisten Restaurants warten, bis ein *host* oder eine *hostess* erscheint und nach der Anzahl der Personen fragt. In Bundesstaaten, in denen das Rauchen in Restaurants noch gestattet ist, wird man sich auch erkundigen, in welchem Bereich des Restaurants Sie sitzen möchten: »*Smoking or non-smoking?*«

Sollte es keinen freien Tisch geben, wird man nach seinem Namen gefragt, der in eine Warteliste eingetragen wird. Zusätzlich erhält man die Information, auf welche Wartezeit man sich ungefähr einstellen muss. Entweder wird, wenn es dann soweit ist, der Name aufgerufen oder man bekommt einen *Pager*, der vibriert, sobald man an der Reihe ist. Man wird dann an seinen Tisch geführt. In den USA ist es übrigens weitgehend unüblich, mit Leuten, die man nicht kennt, gemeinsam an einem Tisch zu sitzen. Es kann also durchaus passieren, dass man warten muss, obwohl an einigen Tischen nur eine Person sitzt.

Der Kellner stellt sich in vielen Restaurants namentlich vor, erwartet aber natürlich nicht, dass die Gäste ebenfalls ihren Namen nennen. Er wird sich zuerst nach den Getränkewünschen erkundigen und unter Umständen, d. h. falls Sie Alkohol wünschen und zudem relativ jung aussehen, nach der *I.D.* fragen, was bei den Amerikanern in der Regel die Fahrerlaubnis ist. Man kann aber auch den Reisepass zeigen. Der Kellner oder ein anderer Angestellter wird meistens auch Gläser mit kaltem Leitungswasser bereitstellen und bei Bedarf wieder auffüllen. Alkoholfreie Getränke, insbesondere Cola, werden oft ebenfalls kostenlos nachgefüllt. Mineralwasser aus der Flasche gibt es nur in gehobenen Restaurants und ist oft recht teuer. Das Leitungswasser ist dagegen natürlich umsonst.

Wasser und andere nichtalkoholische Getränke werden normalerweise in Gläsern gebracht, die etwa zur Hälfte mit Eiswürfeln gefüllt sind. Das ist einfach so üblich, da viele Amerikaner, und da ist Mark beileibe keine Ausnahme, gerne alles sehr kalt trinken. Sollte man kein Eis im Glas wollen, kann man dem Getränkewunsch einfach den Satz »*No ice, please!*« hinzufügen. Das Gleiche sollte man auch sagen, falls man im Kino eine Cola kauft und sich nicht den halben Pappbecher voll Eis schütten lassen möchte.

Sobald die Getränke auf dem Tisch stehen, wird der Kellner die Bestellung *(order)* entgegennehmen. Bei einigen Fleischgerichten, z. B. Steak oder Hamburger, wird man in der Regel gefragt, wie stark das Fleisch durchgebraten sein soll: *rare*, *medium* oder *well done*. *Rare* entspricht dem deutschen »blutig« – und ist oft wirklich extrem blutig, man sollte daher wenigstens *medium* bestellen, auch um ein mögliches Unwohlsein am nächsten Tag zu vermeiden. Übrigens: Auf den Speisekarten steht in der Regel klein gedruckt eine Warnung, dass Speisen, die auf Wunsch nicht durchgebraten wurden, auf eigene Gefahr verzehrt werden.

Amerikanische Kellner kommen, das ist durchaus so üblich, alle paar Minuten unaufgefordert zum Tisch und erkundigen sich, ob alles in Ordnung ist und ob es weitere Wünsche gibt. Da Kellner, wie schon erwähnt, hauptsächlich vom Trinkgeld leben, sind sie natürlich darum bemüht, erstklassigen Service zu bieten. Das häufige Nachfragen gehört in den USA einfach dazu.

Der Kellner bringt in der Regel unaufgefordert die Rechnung, nachdem er sich versichert hat, dass Sie keine weiteren Wünsche mehr haben. Sie können ihn aber auch jederzeit auffordern: »*Could we have the bill, please?*« Wenn Sie mit mehreren Leuten ins Restaurant oder in die Kneipe gehen und getrennt zahlen wollen, dann sollten Sie das dem Kellner am Besten schon bei der ersten Bestellung mitteilen: »*We'll pay separately.*« Oder Sie sagen zum Kellner unmittelbar bevor er die Rechnung bringt: »*Could we have separate bills, please?*« Falls das aus irgendeinem Grund nicht möglich oder zu kompliziert ist, könnten Sie Ihren Tischgenossen auch vorschlagen: *»Let's split the bill!«* Jeder bezahlt dann den gleichen Anteil. Falls Sie großzügig sein und die gesamte Rechnung bezahlen wollen, sagen Sie einfach *»Let me take care of that!«*, wobei Sie gleichzeitig Ihre Kreditkarte oder Ihr Bargeld zu der Rechnung legen.

Deutsches Bier aus Amerika

Dass der Kellner im Steakhaus sich selbst als »Deutscher« bezeichnete, obwohl er in den USA geboren wurde und kein Deutsch spricht, ist nicht ungewöhnlich. Viele Amerikaner identifizieren sich noch immer mehr oder weniger mit der Herkunft ihrer Vorfahren und sagen dann in Gesprächen, dass sie *German* oder *Polish* oder *Irish* seien. Das trifft auch auf viele der etwa 51 Millionen Amerikaner zu, die von den rund acht Millionen Deutschen abstammen, die hauptsächlich zwischen 1840 und 1920 in die USA eingewandert sind.

Eine der sichtbarsten Spuren deutscher Einwanderer ist das Brauwesen. Fast alle großen Brauereien in den Vereinigten Staaten wurden von Deutschen gegründet: Anheuser-Busch, Miller, Coors, Pabst, D. G. Yuengling & Son, Stroh, Schlitz und Leinenkugel.

Bis Mitte des 19. Jahrhunderts hatten britische *Ale*-Biere den amerikanischen Markt dominiert. Diese wurden aber nach Ankunft der deutschen Brauer schnell verdrängt. Der deutsche Seifenfabrikant Eberhard Anheuser und sein Schwiegersohn Adolphus Busch waren dabei besonders erfolgreich. Anheuser kaufte 1859 eine kleine deutsche Brauerei in St. Louis (Missouri) und Busch hatte die Idee, mit *Budweiser* eine nationale Biermarke für die USA zu schaffen.

Allerdings streiten sich Anheuser-Busch und die Budvar-Brauerei aus dem tschechischen Budweis seit circa 100 Jahren um diesen Markennamen, der in den USA bereits 1867 eingetragen und 1883 von Anheuser-Busch erworben wurde. Die böhmische Budweiser-Brauerei war dagegen erst 1895 gegründet worden. Budvar argumentiert aber, dass ihr Name auf die 1265 gegründete Stadt Budweis zurückgeht, die diesen seit dem 14. Jahrhundert trägt. Gerichte in der ganzen Welt haben sich mit dieser Sache beschäftigt und sind bisher zu keiner einheitlichen Entscheidung gekommen. Aus diesem Grund wird das tschechische Budweiser-Bier in den USA und Kanada als *Czechvar* vertrieben, während das Bier von Anheuser-Busch in den meisten europäischen Ländern als *Anheuser-Busch Bud* zu haben ist.

Aldi in den USA

Die Aldi-Filiale, die Torsten neben dem Restaurant entdeckt hat, ist eine von mittlerweile mehr als 1.000 Aldi-Geschäften in den USA – und wie in Deutschland muss man eine Münze (25 Cents) in den Wagen stecken, für die Einkaufstüten bezahlen und die gekauften Waren selbst einpacken. Diese Dinge sind in den USA normalerweise nicht üblich.

Ein weiteres Unternehmen der Familie Albrecht in den USA ist *Trader Joe's*. Auch hier sieht man sofort die Ähnlichkeit mit deutschen Lebensmittelmärkten: Die Auswahl ist relativ beschränkt, aber die Qualität der vorhandenen Waren ist ausgezeichnet. Zudem sind die Filialen wesentlich kleiner als amerikanische Lebensmittelmärkte.

Lokalnachrichten

29. Juli, Ann Arbor, Michigan

Torsten | Ein paar Worte zum amerikanischen Fernsehen: Die Zahl der Kanäle ist schier endlos, aber so richtig was zu sehen gibt es anscheinend nicht. Mark hatte heute Abend, nachdem wir vom Steakessen nach Hause gekommen waren, die ganze Zeit die Fernbedienung in der Hand und zappte herum, ohne irgendwo länger als zwei Minuten hängen zu bleiben.

Die einzige Sendung, die er sich mehr oder weniger komplett anschaute, waren die Lokalnachrichten um elf Uhr, die eine halbe Stunde dauerten und mehrmals durch Werbung unterbrochen wurden. Da auf zwei Sendern gleichzeitig *Local News* liefen, schaltete Mark in den Werbepausen immer zum jeweils anderen Sender, was aber auch nicht viel brachte, da beide Sender die Werbepausen wohl mehr oder weniger aufeinander abgestimmt hatten.

Die Nachrichten waren auch nicht für Ann Arbor, sondern für Detroit und Umgebung, und da sah es, was mich nach unserem gestrigen Ausflug nach Detroit auch gar nicht überraschte, ja wirklich ganz schön schlimm aus.

Los ging es heute Abend z. B. mit dem Bericht von einem Mord. Der Reporter stand vor dem Haus, in dem wenige Stunden zuvor der Mord geschehen war. Im Hintergrund sah man Polizisten ins Haus rein- und rausgehen. Ich nahm einen Schluck von meiner Dose *Bud Light*, die ich mir heute Mittag im Supermarkt so mühsam erkämpfen musste und fragte Mark: »Hast du hier schon mal einen Schuss gehört?«

»Nein, noch nie«, erwiderte er und fügte hinzu, dass es in Ann Arbor höchstens einen Mord pro Jahr gibt. Die Moderatoren im Studio waren mittlerweile schon zu einem anderen Thema übergegangen. Übrigens saßen da auf jedem Sender zwei Leute, jeweils eine Frau und ein Mann, die abwechselnd Nachrichten lasen und Berichte einleiteten. Zwischendurch gab's auch eine gehörige Portion Small Talk. Was war heute neben dem Mord noch geschehen? Die Schulverwaltung von Detroit hatte eine öffentliche Sitzung abgehalten, und die Leute auf dem Podium waren von einigen Eltern übelst beschimpft worden. Eine Frau wurde sogar von der Polizei aus dem Saal geführt. »Die haben nicht mal Klopapier in den Schulen dort«, kommentierte Mark.

Der andere Sender zeigte unterdessen einen Bericht über Mitarbeiter des Stromversorgungsunternehmens, die in ihren Fahrzeugen schliefen, statt Reparaturen auszuführen. Auch bei diesen Berichten stand jeweils ein Reporter am Ort des vermeintlichen Geschehens, von wo aus er seine Reportage kurz anmoderierte und anschließend Fragen aus dem Studio beantwortete.

Mehrmals im Laufe der Sendungen gab es eine Vorschau auf den Wetterbericht und die Sportberichterstattung. Die Wettervorhersage, die ein Wettermann präsentierte, war ganz ausführlich und schien von höchster Wichtigkeit zu sein. Nach der anschließenden Werbung gab es zehn Minuten Sport. Auch dafür gab es einen extra Ansager im Studio, der zugleich auch versuchte, lustig zu sein. Am Ende saßen da vier Personen hinter dem Tisch: die zwei Moderatoren, der Wettermann und der Sportreporter, die allesamt zum Schluss über irgendwelche Bemerkungen des Sportfritzen lachten. Ich glaube, an das erschreckend schlechte Niveau dieser Nachrichtensendungen könnte ich mich nie gewöhnen. Warum Mark, als gebildete Person, sich das anschaute, war mir schleierhaft.

Woran ich mich trotz der langen Wetterberichte und Vorhersagen auch noch nicht gewöhnt habe, sind die Temperaturangaben in Grad Fahrenheit. Die Höchsttemperaturen sollen morgen bei 85 Grad Fahrenheit liegen. Ich nehme mal an, dass das etwa 30 Grad Celsius sind.

Susanne | Sarah hat mich jetzt schon mehrmals gefragt, ob sie mir zeigen soll, wie man die Waschmaschine benutzt und ob wir genug Sachen zum Anziehen mitgebracht haben. Ich verstehe das nicht: Denkt sie, ich habe im Urlaub nichts Besseres zu tun, als Wäsche zu waschen? Und unser Gepäck hat sie doch wohl gesehen ...

Die Sache mit den Sachen

In den USA gilt es als unhygienisch, an zwei aufeinanderfolgenden Tagen dieselben Sachen zu tragen, einschließlich derselben Hose. Möglicherweise beruhte Sarahs besorgte Frage auf diesem Sachverhalt.

Was ist diesmal schiefgelaufen?

Eigentlich nichts. Torsten ist lediglich von dem Niveau der lokalen Fernsehnachrichten geschockt und kann sich außerdem nicht daran gewöhnen, dass die Temperaturen in den USA in *degrees Fahrenheit* angegeben werden. Umgangssprachlich lässt man das *Fahrenheit* allerdings weg und sagt lediglich *degrees*, z. B. *sixty-four degrees* (64 Grad).

Fahrenheit und Celsius

Daniel Gabriel Fahrenheit (1686-1736) war ein deutscher Physiker, der 1709 das Alkoholthermometer und 1714 das Quecksilberthermometer erfand. 1724 stellte er die Temperaturskala vor, die seinen Namen trägt. Fahrenheit legte Null Grad bei der damals tiefsten erzeugbaren Temperatur fest, die durch das Mischen von gleichen Teilen Wasser, Eis und Salz erreicht wurde, und unterteilte den Abstand zwischen Gefrierpunkt (32 °F) und Siedepunkt von Wasser (212 °F) in 180 gleiche Teile, sprich Grad.

Um 1740 herum entwickelte der schwedische Astronom Anders Celsius (1701-1744) dann seinerseits eine Skala, die den Unterschied zwischen Gefrierpunkt und Siedepunkt von Wasser in 100 Grad einteilte und Fahrenheits Skala in Europa ablöste. Die USA benutzen jedoch bis heute die Skala des deutschen Physikers.

Wenn man von Fahrenheit in Celsius umrechnet, subtrahiert man 32 und multipliziert dieses Ergebnis mit 5/9. Bei der Umrechnung von Celsius multipliziert man mit 9/5 und addiert 32. Das gelingt sicher nur den wenigsten als Kopfrechnung. Einen über den Daumen gepeilten Wert erhält man, wenn man von dem Temperaturwert in Fahrenheit die Zahl 30 subtrahiert und das Ergebnis halbiert.

Besser als alles Umrechnen ist jedoch, wenn man ein Gefühl dafür bekommt, was die Temperaturangaben in Fahrenheit bedeuten. Beim Wetter ist das sicher am einfachsten. Der Gefrierpunkt liegt, wie gesagt, bei 32 °F. Bis 50 °F (10 °C) ist es relativ kühl, 70 °F (21 °C) sind eine angenehme Temperatur, bei 90 °F (etwas mehr als 32 °C) ist es sommerlich heiß und 100 °F (38 °C) bedeuten eine so unerträgliche Sommerhitze, dass man dann doch über die vielen Klimaanlagen in den USA froh ist.

Kriminalität in den USA

Dass es in den USA mehr Waffen und mehr Gewaltverbrechen als in Mitteleuropa gibt, stimmt sicher. Jedoch beschränkt sich die Kriminalität in der Regel auf einige wenige Stadtteile in Großstädten. Viele Straftäter ermorden sich dort im Rahmen von Bandenkriegen gegenseitig. Diese Stadtteile sollte man natürlich meiden. Der größte

Teil des Landes bleibt jedoch von Gewaltverbrechen weitgehend verschont, und man kann dort Jahrzehnte lang leben, ohne je eine Waffe zu Gesicht zu bekommen oder gar einen Schuss zu hören.

Falls Sie wider Erwarten doch jemand bedroht und Ihr Geld verlangt, sollten Sie dieses ohne Diskussion herausgeben. In Großstädten ist es ratsam, für den Fall der Fälle einige Geldscheine mitzuführen, die man dann einfach aushändigt. Bewahren Sie auf jeden Fall die Ruhe und vermeiden Sie nach Möglichkeit längeren Blickkontakt und Wortwechsel mit dem Räuber. Die Chancen, dass Sie dann gesundheitlich zu Schaden kommen, sind extrem gering, da man es bei einem sogenannten *mugging* lediglich auf Ihr Geld und nicht auf Ihr Leben abgesehen hat.

Nach Chicago!

30. Juli, Chicago, Illinois

Torsten | Heute sind wir mit dem Zug nach Chicago gefahren. Die Fahrt dauerte ungefähr viereinhalb Stunden und war irgendwie ganz anders, als ich erwartet hatte. Die amerikanische Eisenbahn, die *Amtrak* heißt, ist ziemlich altmodisch, die sollten sich wirklich mal in Europa oder Asien anschauen, wie ein moderner Bahnbetrieb aussieht!

Das ging schon auf dem Bahnhof los. Mark setzte uns dort auf dem Weg zu seiner Arbeit ab. Der Bahnhof von Ann Arbor ist gleich in der Nähe vom Krankenhaus, etwas außerhalb vom Stadtzentrum, und hat in etwa die Größe eines Dorfbahnhofs. Es gab nur ein kleines flaches Gebäude im Stil der 1960er-Jahre mit einem einzigen Bahnsteig davor. In dem Wartesaal, der kleiner zu sein schien als Mark und Sarahs Wohnzimmer, gab es nur zwei Schalter. Kaum zu glauben, dass eine Stadt mit mehr als 100.000 Einwohnern so einen mickrigen Bahnhof hat!

Das muss früher anders gewesen sein, denn das alte Bahnhofsgebäude, das sich gleich neben dem neuen befindet und jetzt anscheinend das vornehme Restaurant *Gandy Dancer* beherbergt, hatte enorme Ähnlichkeit mit einem deutschen Kleinstadtbahnhof aus der Zeit vor dem Ersten Weltkrieg und war um ein Vielfaches größer als der jetzige Bahnhof. Auch gab es ausreichend Platz für zusätzliche Gleise und Bahnsteige, die anscheinend irgendwann entfernt wurden.

Der Mann hinter dem vollverglasten Schalter verstand zunächst nicht, was wir wollten, nämlich Tickets für die 2. Klasse. »*Two second class tickets to Chicago and back*«, sagte ich zweimal. Er schaute mich verwirrt an. »*Do you want coach or business?*«, fragte er mich. »*What is cheaper?*«, fragte ich zurück. Warum mussten die es denn so kompliziert machen? »*Coach*«, antwortete der Mann hinter der Scheibe.

Billig war das letztendlich aber auch nicht, denn wir bezahlten für zwei Personen fast 200 Dollar für die Hin- und Rückfahrt. Warum wir auf den wie Flugtickets aussehenden Fahrkarten (wir bekamen pro Person eine für die Hinfahrt und eine für die Rückfahrt) unterschreiben mussten, verstehe auch, wer will. Zumindest haben wir kostenlose Stadtpläne für Chicago dazubekommen.

Als der Zug in den Bahnhof einfuhr, wollten wir natürlich in den erstbesten Wagen steigen, worauf uns ein Schaffner ansprach. Er fragte uns, wo wir hinwollten, ließ sich unsere Fahrkarten zeigen und sagte uns dann, dass wir weiter vorne einsteigen sollten. Das Einsteigen in den Zug erfolgte anscheinend nach Zielort. Wir hasteten am Zug entlang, wurden noch zweimal abgewiesen und durften schließlich in den Wagen klettern, der für Passagiere bestimmt war, die nach Chicago wollten. Und »klettern« ist das einzig zutreffende Wort, denn der Bahnsteig war zu ebener Erde und der Schaffner musste einen kleinen Eisenschemel vor das Trittbrett stellen, damit man überhaupt auf die erste Stufe gelangen konnte.

Die Waggons waren geräumig und erinnerten mich von ihrer Größe her sofort an die russische Eisenbahn und temperaturmäßig an Sibirien, denn die Klimaanlage arbeitete natürlich auch hier auf Hochtouren. Die Fenster waren klein und was die Einrichtung betraf, war die Zeit wohl irgendwann in den 1980er-Jahren stehen geblieben. Allerdings, und das war wesentlich besser als in unseren Zügen, waren die Gepäckablagen und auch die Sitze sehr breit. Das Angebot im Imbisswagen war leider eher bescheiden und, wie wahrscheinlich überall auf der Welt, stark überteuert. Als ich eine Cola kaufte, bekam ich natürlich einen mit Eiswürfeln gefüllten Plastikbecher dazu. Die Amerikaner und ihre Eiswürfel, das ist schon irgendwie cool.

Einen Mangel an Personal scheint es bei der amerikanischen Bahn nicht zu geben: Am Anfang kam ein Schaffner durch, der unsere Fahrkarten kontrollierte. Er behielt jeweils zwei Drittel des Tickets für sich und gab uns nur einen abgerissenen Teil zurück. Fünf Minuten später kam ein anderer Schaffner durch und fragte jeden Fahrgast, wo er hin wollte. Er schrieb daraufhin Buchstabenkürzel auf Papierstreifen und steckte diese an die Gepäckablage. Warum das der erste Schaffner beim Einsammeln der Tickets nicht bereits gemacht hatte, weiß der Kuckuck. Einige Minuten später kam dann noch ein dritter Schaffner und nahm Reservierungen für den Speisewagen entgegen.

Die Fahrt verlief reibungslos und der Blick aus dem Fenster war ganz interessant: Da gab es kleine Städtchen, riesige Industrieanlagen und letztlich tauchte am Horizont auch Chicago auf. Als wir im Schneckentempo durch eine Vorstadt rollten, in der offensichtlich extreme Armut herrschte, wurde es ganz still im Zug.

Der Bahnhof in Chicago hat mich dann sogar noch mehr geschockt. Richtige Bahnsteige schien es hier nicht zu geben. Wir stiegen in einer Art dunkler, feuchter Fabrikhalle aus und mussten einen schmalen Steig bis zur eigentlichen Bahnhofshalle entlang gehen, die dann allerdings doch ganz ordentlich aussah.

Als wir aus dem Bahnhofsgebäude traten, verschlug es uns den Atem. Gigantische Wolkenkratzer, wohin man auch sah! Häuserschluchten in jede Richtung. Zahllose Menschen und hupende Autos. So hatte ich mir Amerika vorgestellt!

Unsere erste Amtshandlung bestand im Umstellen der Uhren. Mark hatte uns extra darauf hingewiesen, dass Chicago in einer anderen Zeitzone als Ann Arbor liegt. Hier ist es eine Stunde früher!

Zu unserem Hotel konnten wir zu Fuß gehen und von unserem Zimmer, in dem wir schnell unser Gepäck abstellten, hatten wir einen tollen Ausblick auf den Michigansee und einen davor liegenden Park. Wir sind auch gleich mal die Haupteinkaufsstraße, die *Michigan Avenue*, hochgelaufen. Die Menschenmassen waren unglaublich! An den Fußgängerübergängen stauten sich jedes Mal mindestens 100 Leute. An einigen Stellen gab es Straßenkünstler, an denen ein Vorbeikommen wegen der rundherum stehenden Menschen auch fast unmöglich war. Einmal hätten Susanne und ich uns in dem Gewühl fast verloren. Die Mittagshitze wurde zudem nahezu unerträglich.

Später sind wir ins *John Hancock Center* rein. Das ist ein riesiger Wolkenkratzer, der sich auch in der *Michigan Avenue* befindet. Gegen 19 Dollar Eintritt kann man zur 94. Etage hochfahren und dort nach allen Seiten auf Chicago herunterschauen. Das ist zwar ganz schön teuer, aber die Aussicht aus 300 Metern Höhe war wirklich super. Die anderen Hochhäuser waren zum Teil echt klein im Vergleich, aber viele hatten einen Swimmingpool auf dem Dach! Das wäre in dieser Hitze genau das Richtige!

Wir haben unten im Hochhaus noch einen Kaffee getrunken und Käsekuchen gegessen, und zwar in einem Restaurant, das *Cheesecake Factory* hieß. Der Käsekuchen war allerdings ganz anders als bei uns, nicht so locker und viel, viel süßer. Wir konnten beide unsere Stücke nicht aufessen. Der Kellner war sehr nett und wollte wissen, wo wir herkommen. Er fragte uns, ob es wahr sei, dass die Deutschen David Hasselhoff lieben. Wie kam er denn darauf? Wir verneinten das natürlich kategorisch, was ihn sehr erstaunte.

Als wir mit dem Essen fertig waren und gerade aufbrechen wollten, empfahl uns der Kellner noch, mit dem Wassertaxi von der *Navy Pier* zum *Aquarium* zu fahren. Wir schauten in den kleinen Reiseführer, den wir in Ann Arbor gekauft hatten, und erfuhren, dass es sich dabei um ein Meereskundemuseum am Ufer des Michigansees handelt. Da werden wir dann morgen früh mal hingehen.

David Hasselhoff

Der Comedian Norm McDonald hatte in den 1990er-Jahren in der populären Sendung *Saturday Night Live* fortlaufend behauptet, dass David Hasselhoff, oft nur *The Hoff* genannt, von allen Deutschen geliebt wird. Irgendwann ist im Bewusstsein der Amerikaner aus diesem Witz ein Fakt geworden. Auch bei David Hasselhoff.

Was ist diesmal schiefgelaufen?

Was Torsten nicht wissen konnte: In den USA gibt es keine »zweite Klasse«, weil der Begriff *second class* für amerikanische Ohren zu abwertend klingt und irgendwie an *second class citizen* (Bürger zweiter Klasse) erinnert. Deshalb wird stattdessen der wohlklingende Begriff *coach* verwendet, was so viel wie »Touristenklasse« bedeutet. Außerdem sollte man Fahrkarten für Amtrak-Züge unbedingt im Voraus kaufen. Zum einen sind sie dann billiger, und zum anderen vermeidet man, dass der Zug möglicherweise ausverkauft ist, denn es können immer nur so viele Leute mitfahren, wie es Sitzplätze gibt. Der englische Begriff für Hin- und Rückfahrt, und das wusste Torsten anscheinend auch nicht, ist *round trip*.

Das Einsteigen erfolgt tatsächlich recht geordnet. Normalerweise wird man nach dem Fahrtziel befragt und bekommt dann dementsprechend einen bestimmten Wagen zugewiesen. Auf vielen Bahnhöfen kann man den Bahnsteig auch erst nach dem Einfahren des Zuges betreten, muss dann oft in einer Schlange warten und wiederholt seine Fahrkarte vorzeigen. Das Ganze erscheint jedenfalls wesentlich umständlicher als wir das gewohnt sind und erfordert eine gehörige Portion Geduld.

In den meisten Zügen kann man Getränke und einen kleinen Imbiss kaufen. Man sollte dem Angestellten in der

Snack Bar ein kleines Trinkgeld hinterlassen, falls er mehr gemacht hat, als nur einen Schokoriegel über die Theke zu reichen, z. B. wenn er Ihnen Kaffee eingefüllt oder ein Sandwich aufgewärmt hat.

Amerikanische Bahnhöfe

Die amerikanischen Bahnhöfe sind auch nicht das, was wir aus Europa gewohnt sind. Wäre die Zeit vor 100 Jahren stehen geblieben, dann wären sie ja vielleicht noch recht angenehm. So aber sind die Bahnhöfe nur Orte, wo man seine Fahrkarten am Schalter abholt (nachdem man sie per Internet schon gekauft hat), wo man in den Zug ein- und aussteigt und wo man ansonsten so wenig Zeit wie möglich verbringt. Die großen Bahnhöfe, wie die *Chicago Union Station* (www.chicagounionstation.com) haben zwar auch eine historische Schalter- und Wartehalle wie in Europa, eine Ankunftshalle mit breiten Bahnsteigen, wie wir es kennen, gibt es jedoch normalerweise nicht. Die Züge halten stattdessen in dunklen, feuchten, engen Hallen, die irgendwie an Fabrikhallen um 1850 erinnern und in denen man sich auch nicht aufhalten, sondern lediglich schnurstracks und im Gänsemarsch zu seinem Wagen bzw. zum Ausgang gehen darf.

Viele Bahnhöfe sind zudem zweckentfremdet worden oder stehen leer und verfallen zusehends, weil die Bahngesellschaft *Amtrak* sie durch kleine Flachbauten ersetzt hat, die in der Instandhaltung billiger sind als die alten Gebäude. *Amtrak* macht leider seit Jahren herbe Verluste und einige Politiker würden am liebsten überhaupt kein Geld mehr für den Bahnbetrieb zur Verfügung stellen. Die wenigen Züge, die heute noch auf den verbliebenen Strecken fahren, sind jedoch regelmäßig ausverkauft.

Insgesamt ist das Zug fahren in den USA aber recht angenehm, wenn man genügend Geduld mitbringt und keine europäischen Maßstäbe ansetzt.

Zeitzonen in den USA

Die sogenannten *lower 48 states*, d. h. alle Bundesstaaten außer Hawaii und Alaska, liegen in vier verschiedenen Zeitzonen: Von der Ostküste bis hin zum Michigansee herrscht die *Eastern Standard Time* (EST). Dort ist es sechs Stunden früher als in Mitteleuropa. Westlich davon, also auch in Chicago, gilt die *Central Standard Time* (CST). In der Gegend der Rocky Mountains werden die Uhren nach der *Mountain Standard Time* (MST) gestellt. An der Westküste ist es wegen der *Pacific Standard Time* (PST) drei Stunden früher als an der Ostküste und neun Stunden eher als in Mitteleuropa. Der Zeitunterschied zwischen *Alaskan Time* und *Eastern Standard Time* beträgt sogar vier Stunden und in Hawaii ist es noch eine weitere Stunde früher.

Die Zeitzonen waren 1883 von den amerikanischen und kanadischen Eisenbahngesellschaften eingeführt worden. Zuvor hatte jeder Ort in den USA seine eigene Zeit, die vom Sonnenstand abhing. Es dauerte auch eine Weile bis die Zeitzonen von allen akzeptiert wurden. 1918 wurden sie dann schließlich Gesetz.

Die Sache mit der Dusche

30. Juli, Chicago, Illinois

Torsten | An unser Hotelzimmer, so schön und modern es auch aussah, mussten wir uns erst einmal gewöhnen. Beim Betreten hätte es uns nicht überrascht, halbe Rinderhälften von der Decke hängen zu sehen, denn die Temperatur erinnerte uns eher an den Kühlraum eines Schlachthauses als an ein gemütliches Hotelzimmer. Die Klimaanlage, die unter dem Fenster steckte, machte zudem einen Lärm wie ein Traktor. Susanne blieb erst einmal draußen, bis ich die ratternde Kühlbox ausgeschaltet hatte. Danach machte sie sich auf den Weg ins Badezimmer, während ich das Bett inspizierte. Dabei kam ich mir vor wie auf der *Documenta* in Kassel, wo einmal diese überdimensionalen Möbelstücke ausgestellt wurden. Das Bett war so hoch, dass man fast raufklettern musste, und wenn man dies dann bewerkstelligt hatte, konnte man auch durchaus quer darauf liegen, denn es hatte in etwa die Fläche eines deutschen Kleingartens. Als wir später schlafen gingen, musste ich mich erst einmal auf die Suche nach Susanne machen, die sich am anderen Ende des Bettes aufhielt und immer noch sauer über das Missverständnis mit der Dusche war. Wir konnten nämlich beim besten Willen nicht die richtige Konstellation der drei Drehknöpfe und des Schalterarmes herausfinden, die ein normales Duschen ermöglicht hätte.

Frustriert gingen wir zur Rezeption und Susanne begann mit den Worten: »*The douche is not working* …« Der Mann an der Rezeption schaute sie mit großen Augen an. Wahrscheinlich hatte er sie nicht verstanden. »*She wants to have a douche*«, sprang ich ihr bei. »*There's a CVS across the street* …«, sagte der Rezeptionist zögerlich. Ich begriff gar nichts. Hinter mir hörte ich unterdrücktes Lachen. Ich blickte mich um, und da war eine Frau unseren Alters, die mich erst amüsiert anschaute und dann an den Hotelangestellten gerichtet sagte: »*I think they are talking about the shower.*« Und an uns gerichtet: »Das englische Wort für Dusche ist *shower*.« Beim Weggehen sagte sie lachend: »*Douche* ist etwas ganz anderes!«

Ein Angestellter begleitete uns zu unserem Zimmer und zeigte uns, wie man die Dusche richtig anstellte. Auf meine Frage nach einem richtigen Bettbezug bekam ich jedoch nur eine unverständliche Antwort.

Dass die dünne Decke und das Laken, mit dem man sich zudecken sollte, zudem in dieser Schlachthauskälte, am Fußende unter der Matratze eingesteckt waren, hat mich dann später so aufgeregt, dass ich nach ein paar Minuten aufsprang und das alles erst einmal auseinanderriss. Susannes genervtes Gestöhne am anderen Ende des Bettes war dabei total unnötig, ebenso wie das dritte Kopfkissen, über dessen Zweck man auch nur spekulieren konnte. Als ich es zu Susanne rüber schmiss, war das der Auftakt für eine intensive Kissenschlacht ...

Was ist diesmal schiefgelaufen?

Manche englische und deutsche Wörter sind sich phonetisch sehr ähnlich. Das verleitet zum Gedanken, dass sie auch das Gleiche bedeuten. Diese heimtückischen Vokabeln werden *false friends* (falsche Freunde) genannt. So bedeutet *become* nicht etwa »bekommen«, sondern »werden«, und *eventually* nicht »vielleicht«, sondern »letztendlich«. Das Wort *douche* ist auch so ein sprachlicher Fallensteller und bedeutet nicht etwa, wie man annehmen könnte »Dusche« oder »duschen«, sondern bezeichnet eine Intimspülung für Frauen. Wobei Torsten das Wort *shower* aber eigentlich hätte kennen müssen, falls seine Englischkenntnisse wirklich so gut sind, wie er nun schon mehrmals behauptet hatte.

Die amerikanische Bettwäsche, zumindest in Hotels, ist ähnlich hinterhältig wie die englische Sprache. Die

Betten sind, da hat Torsten recht, in der Regel sehr groß. Da sie normalerweise aus einem kastenförmigen Untersatz und einer sehr dicken Matratze bestehen, sind sie auch sehr hoch. Das erleichtert besonders älteren und stark übergewichtigen Leuten das Aufstehen, da sie vom Bettenrand beinahe in den Stand rutschen können. Zum Zudecken gibt es eine dünne Decke mit einem Laken an der Unterseite. Bevor man zu Bett geht, sind beide an der Seite und am Bettende zwischen Matratze und Untersatz eingesteckt – wenn man sie herauszieht, zieht man zwangsläufig auch das Bettlaken heraus. Sinn macht das Ganze nicht, wie man es auch betrachtet. Während des Tages liegt obendrauf noch eine Steppdecke. Die Kopfkissen sind meistens riesengroß und die Zahl kann zwischen zwei und sechs variieren. Manchmal unterscheiden sie sich in der Dicke und in der Art der Füllung, sodass man sich das bequemste heraussuchen kann. In vielen Hotelzimmern gibt es zwei große Betten, genug also, um eine mehrköpfige Familie unterzubringen, wovon viele Amerikaner dann auch Gebrauch machen.

Wie man eine amerikanische Dusche anstellt

Wie die Dusche angestellt wird, kann in den USA hin und wieder durchaus zum Intelligenztest werden. Manchmal gibt es drei Knöpfe, andere Male nur einen. Wenn man es geschafft hat, die Temperatur zu regeln, stellt sich die Frage, wie man den Wasserfluss vom Hahn unmittelbar über dem Abfluss auf die eigentliche Dusche umschaltet. Das eine Mal muss ein Knopf gedreht werden, ein anderes Mal wird irgendwo ein Hebel gezogen oder direkt am Hahn ein Ring heruntergedrückt. Durch systematisches Tasten und Experimentieren sollte man das Rätsel jedoch in einem angemessenen Zeitrahmen lösen können. Falls Sie es dennoch nicht schaffen, sollten Sie an der Rezeption fragen: »*Excuse me, how do I turn on the shower?*«

Cold Sores

1. August, Chicago, Illinois

Torsten | Susanne hatte mal wieder einen gewaltigen Herpes-Ausbruch und dummerweise haben wir die Lippencreme in Deutschland vergessen. Also machten wir uns heute Vormittag auf die Suche nach einer Apotheke. Nachdem wir eine Stunde ziellos umhergewandert waren und vergeblich gesucht hatten, steuerten wir ein Geschäft mit der Aufschrift *drug store* an, nachdem wir uns im Wörterbuch versichert hatten, dass es sich um eine Drogerie handelte. Sicher würde man uns hier wenigstens Auskunft geben können.

Wir stöberten aber erst einmal etwas orientierungslos im Laden herum, weil wir uns nicht so richtig trauten, jemanden anzusprechen – obwohl uns die Kassiererin beim Betreten ein begeistertes »*Hello!*« entgegengeschrien hatte. Da ich am Vorabend im Fernsehen eine kurze Werbung zum Thema Herpes gesehen hatte, wusste ich aber immerhin, wie man das Wort richtig auf Amerikanisch ausspricht, nämlich mit einem gedehnten ie in der zweiten Silbe. Also übte ich mit Susanne die Aussprache vor dem Waschmittelregal.

»Herpies«, sagte ich. Susanne schaute mich an. Manchmal war sie einfach schwer von Begriff. *»Herpiiies!«*, wiederholte ich lauter. Zwei junge Männer drehten sich nach uns um und lachten. »Was heißt denn: Brauche ich ein Rezept?«, fragte mich Susanne. Das war einfach: *»Do I need a recipe?«*, antwortete ich. Susanne schaute mich genervt an. Sie hasst es, wenn Sie mich etwas fragen muss. Als wir aber das Ende der Waschmittelallee erreichten und um die Ecke bogen, sah ich sie plötzlich frohlocken. Sie streckte einen ihrer relativ kurzen Arme aus und sagte: »Guck mal, sieht das nicht wie ein Apothekenschalter aus?«

Am anderen Ende des Drogeriemarktes, der etwa fünfmal so groß wie eine Schlecker-Filiale war, lag eine Ladentheke, über der in riesigen Buchstaben *Pharmacy* stand und hinter der Männer und Frauen in weißen Kitteln hin und her eilten. Wir stellten uns an. Vor uns holte eine ältere Frau ein Dutzend verschiedene Medikamente ab. Im Hintergrund befand sich eine große Glasscheibe durch die eine Apothekerin mittels Wechselsprechanlage mit einem Mann sprach, der draußen vor der Scheibe in einem Auto saß und wahrscheinlich eine dermaßen infektiöse Krankheit hatte, dass er nicht in den Laden kommen konnte. Manchmal haben die Amerikaner so richtig gute Ideen, dachte ich und sah mich im Geiste in einer deutsche Apotheke im Winter, umzingelt von hustenden und niesenden Menschen.

Ich wurde aus meiner Gedankenwelt gerissen, als wir an der Reihe waren und die junge Frau hinter dem Schalter irgendetwas zu uns sagte und uns danach erwartungsvoll und hilfsbereit ansah. Ich stieß Susanne in die Rippen.

Sie räusperte sich und brachte den zurechtgelegten Satz überraschend gut heraus: »*Do I need a recipe for my herpes?*« Ich war stolz auf sie und mich – die junge Apothekerin starrte sie allerdings mit offenem Mund an. Offenbar hatte Susannes gutes Englisch ihr die Sprache verschlagen. Susanne wiederholte ihre Frage und deutete auf ihre Unterlippe. »*We call that cold sores*«, sagte die junge Frau lächelnd. Sie fragte, wo wir herkämen und führte uns dann zu einem nahe gelegenen Regal, wo sie Susanne eine Handvoll Mittel zeigte.

Ich war verwirrt. Im Fernsehen hatten sie doch eindeutig von *Herpiiiees* gesprochen. Das Wort Herpes war sogar auf dem Bildschirm eingeblendet worden, während junge Paare Hände haltend in die Kamera lächelten und sich dann küssten. Das verstehe, wer will. Na egal, hoffentlich hilft die Creme, denn mir ist im Moment nicht nach Küssen zumute.

Was ist diesmal schiefgelaufen?

Torsten und Susanne hätten sich die zeitraubende Suche sparen können. Reine Apotheken *(pharmacies)* wie in

Deutschland gibt es in den USA nur wenige. Oft bekommt man seine Medikamente an einem *Pharmacy*-Schalter im Super- bzw. Drogeriemarkt. Rezeptfreie Medikamente sind weitgehend in den Regalen aufgestellt, ein Rezept (*prescription* – das Wort *recipe* bedeutet ausschließlich »Kochrezept«) gibt man dem Apotheker am Schalter.

Da die Medikamente meistens in Großpackungen angeliefert werden, muss der Apotheker die verschriebene Menge erst abzählen, wodurch es vorkommen kann, dass man schon mal eine halbe Stunde auf seine Medizin warten muss. Wer regelmäßig ein Medikament bekommt, ruft deshalb vorher an und kann es dann später mit dem Fahrzeug am *drive-thru*-Schalter abholen. Der Mann im Auto hatte also keine superinfektiöse Krankheit, sondern machte einfach nur von diesem Service Gebrauch.

Mit dem Begriff *herpes* ist in den USA umgangssprachlich ausschließlich Genitalherpes gemeint, worüber man aber öffentlich wohl kaum jemanden reden hören wird. Allerdings gibt es mitunter Fernsehwerbungen für die entsprechenden Medikamente. Torsten konnte jedoch nicht wissen, dass damit nur eine bestimmte Art Herpes gemeint ist. Lippenherpes wird stattdessen euphemistisch *cold sores* (Fieberbläschen) genannt. Die entsprechenden Cremes für *cold sore relief* bzw. *cold sore treatment* gibt es frei verkäuflich in jedem Drogeriemarkt, z. B. bei *Walgreens*, *Rite*

Aid und *CVS* sowie in den Medikamentenregalen vor den *Pharmacy*-Schaltern der großen Supermärkte.

Heimatliche Süßigkeiten in den USA

Amerikanische Drogeriemärkte sind eine gute Anlaufadresse, falls man Appetit auf Süßigkeiten aus dem deutschsprachigen Raum hat. Bei *Walgreens* gibt es z. B. Produkte der Marken Milka, Ritter Sport, Riesen, Merci, Lindt, Werther's, Toblerone und Ferrero. Schokoladentafeln, die von Sarotti in Deutschland hergestellt wurden, gibt es dort und in vielen anderen Läden als *Cacao Reserve by Hershey's*. Haribo-Produkte, Bahlsen-Kekse und Nutella sind in den USA ebenfalls relativ leicht zu finden. Marzipan-Brote bekommen Sie bei Aldi und *World Market*.

Von Schokoladenbällen und Haien

1. August, Chicago, Illinois

Torsten | Nachdem wir Susannes Herpes-Medizin gekauft hatten, sind wir zum *Navy Pier* gegangen. Von dort fuhren wir mit dem Wassertaxi zum Meereskundemuseum, so wie der Kellner in der *Cheesecake Factory* es uns empfohlen hatte. Zum *Navy Pier* waren es zum Glück nur zehn Minuten Fußweg von unserem Hotel.

Der *Navy Pier* ist laut unserem Reiseführer ein alter, mehr als 1.000 Meter langer Anlegesteg für Schiffe, der 1920 in den Michigansee hineingebaut wurde und auf dem jetzt eine Art Vergnügungsviertel untergebracht ist. Es gibt dort ein Kino, ein Theater, mehrere Museen, Karussells, ein Riesenrad und natürlich viele Imbissbuden.

Da es sehr heiß war und wir bis zur Abfahrt des nächsten Wassertaxis noch 15 Minuten Zeit hatten, entschieden wir uns, schnell ein Eis zu essen. Wir nahmen einen Stand mit circa 30 Sorten Kugeleis in Augenschein. Die Bedienung war auch sogleich zur Stelle und fragte, was wir begehrten. In dem Moment wurde mir klar, dass ich gar nicht wusste, was »Kugel« auf Englisch heißt. Zum Nachschlagen im Wörterbuch war es nun zu spät, also blieb mir nichts anderes übrig, als zu raten – und zu hoffen, dass ich diesmal richtig lag, denn Susanne begann sicher langsam meine Sprachkenntnisse zu hinterfragen. Um ihre aufkommenden Zweifel zu zerstreuen, sagte ich selbstbewusst und ohne zu zögern: *»I have two chocolate balls!«*

Die Frau hinter der Theke, eine wuchtige Afroamerikanerin, schaute mich eine Sekunde lang erstaunt an und begann dann hysterisch zu lachen. Als sie wieder Luft bekam, sagte sie etwas zu ihrem Kollegen, der auch schwarz war und sich dann vor Lachen ebenfalls kaum wieder einkriegte. Als er irgendwas zu Susanne sagte, begann seine Kollegin zu kreischen. Mir wurde das zu viel – ich deutete auf das Schokoladeneis und hielt ärgerlich zwei Finger hoch. Die Verkäuferin entschuldigte sich und begann, das Eis in eine Waffel zu schaufeln. Dabei kicherte sie und redete mit sich selbst.

Immerhin: Die zwei Kugeln waren genauso gigantisch wie die Verkäuferin und entsprachen in etwa fünf deutschen Kugeln! Ihr Kollege fragte Susanne, ob sie auch *two chocolate balls* wollte. Sie sagte: *»Only one.«* Mit Blick auf meine Eiswaffel fügte sie hinzu: *»Your balls are big!«* Daraufhin starben die beiden Eisverkäufer beinahe vor Lachen.

Ich habe keine Ahnung, was die so lustig fanden, aber zumindest hatten sie Spaß bei ihrer wahrscheinlich schlecht bezahlten Arbeit. Und trotz ihrer Lachanfälle versuchten sie, freundlich zu bleiben. War ja klar, dass wir aus Versehen was Lustiges gesagt hatten, fragt sich nur was? Am Ende wollten sie dann *four bucks*, was anscheinend »vier Dollar« bedeutete.

> Für den Dollar gibt es in den USA die umgangssprachliche Bezeichnung *buck*. Wenn es sich um mehr als einen Dollar handelt, wird sowohl bei *buck* als auch bei *dollar* am Ende ein *s* angehängt, also zum Beispiel *two bucks* oder *three dollars*.

Unser Wassertaxi war inzwischen eingetroffen und wir gingen mit circa 20 anderen Leuten an Bord. Der Kapitän zeigte uns zuerst, wo die Schwimmwesten waren, falls wir untergehen würden. Das war allerdings sehr unwahrscheinlich, denn der Himmel war blau und es gab kaum Wellen auf dem Michigansee. Aber immerhin, wir hatten ja auch beim Tretboot fahren in Ann Arbor gedacht, dass nichts passieren könnte ... Die Fahrt verlief nun allerdings ohne Materialermüdung oder andere Zwischenfälle und hat sich wirklich gelohnt, vor allem wegen der tollen Aussicht auf die Stadt vom Wasser aus. Solche genialen Wolkenkratzer habe ich in meinem Leben noch nicht gesehen!

Wir legten in unmittelbarer Nähe vom Meereskundemuseum *Shedd Aquarium* an. Aus der Tür hinaus und eine breite Treppe hinunter gab es eine lange Schlange von

Menschen. Ich hatte eigentlich keine richtige Lust, mich da anzustellen, aber Susanne wollte unbedingt die Pinguine und die Delfine sehen.

Wir standen zwar nicht lange an, die Eintrittspreise waren jedoch der Hammer: 25 Dollar pro Person! Das waren 50 Dollar für uns beide. Das war mir zwar echt zu teuer, aber Susanne zuliebe bin ich dann doch rein und war am Ende auch froh darüber, denn dieses Museum ist echt toll. Es gibt dort jede Menge kleine und große Aquarien mit interessanten Fischen und ein Riesenaquarium in der Mitte, in dem sogar Haie schwimmen. Auch ein Mann im Taucheranzug war im Aquarium, um irgendwelche Wartungsarbeiten auszuführen – ich stellte mir im Geiste vor, wie er vor den Augen von Hunderten Schulkindern von den Haien zerfetzt wurde ...

Das Delfin-Becken war ebenfalls großartig. Man konnte eine Treppe hinuntergehen und dort die Delfine durch Panzerglas hindurch beim Schwimmen unter Wasser beobachten. Oben gab es eine Arena mit Hunderten Sitzen, und als wir dort hinkamen, ging gerade eine Vorführung mit den Delfinen zu Ende. Susanne wollte sich unbedingt die nächste Vorstellung ansehen und ganz nah am Becken sitzen. Also haben wir uns eben hingesetzt und gewartet. Neben uns nahm eine Familie mit zwei Kindern Platz, ein Junge und ein Mädchen, die ungefähr sechs, sieben Jahre alt waren und jedes Mal schrien, wenn ein Delfin aus dem Wasser sprang.

Als die Vorstellung begann, schrie Susanne mit den Kindern und den anderen Zuschauern im Chor, und ich bekam gewaltige Kopfschmerzen. Der Dompteur holte nach und nach Leute aus dem Publikum, die den Delfinen Fische zuwerfen und sie zu Kunststücken anregen konnten. Als auch das neben uns sitzende Mädchen an den Beckenrand gerufen wurde, wollte ich mal ebenso freundlich wie die Amerikaner sein und zeigte der Kleinen meine gedrückten Daumen – toi, toi, toi! Von der Familie handelte ich mir dafür nur verständnislose Blicke ein. Das hat man nun davon.

Hinterher sind wir noch in der Stadt rumgelaufen und haben *Chicago Style Pizza* gegessen, eine Pizza, die so dick wie eine Torte war und hauptsächlich aus Tomatensoße bestand. Angeblich ist das eine lokale Spezialität.

Was ist diesmal schiefgelaufen?

Torsten und Susanne traten in Chicago offensichtlich von einem sprachlichen Fettnäpfchen in das nächste: Zuerst war da das Missverständnis mit der Dusche, dann die Sache mit der Herpes-Creme und jetzt lachten sich auch noch die Eisverkäufer kaputt!

Der Grund für den neuesten sprachlichen Unfall: Das englische Wort für Kugel ist *scoop* und der Plural ist *scoops*. Mit dem Wort *balls* werden umgangssprachlich die Hoden bezeichnet, statt »Eier« sagen die Amerikaner also »Bälle«. Außerdem muss es *»I'll have«* statt *»I have«* heißen. Und da Torsten weißer Hautfarbe ist, fanden es die schwarzen Eisverkäufer besonders absurd und lustig, dass er von sich behauptete, *chocolate balls* zu haben.

Verkäufer sind zwar in den USA fast immer ausgesprochen freundlich und lachen normalerweise nicht über ihre Kunden, aber natürlich sind auch sie nur Menschen und können sich deshalb nicht immer das Lachen verkneifen, besonders nicht in einer Situation wie dieser.

Wortlose Kommunikation

Auch bei der wortlosen Kommunikation hatte Torsten kein Glück: Die verständnislosen Blicke als Reaktion auf sein freundliches Daumendrücken am Delfin-Becken lassen sich dadurch erklären, dass Amerikaner mit dieser Geste schlichtweg nichts anfangen können. Wenn sie jemandem Glück wünschen, kreuzen sie den Mittelfinger über den Zeigefinger und sagen *»Fingers crossed!«* Den Daumen *(thumb)* benutzen sie dagegen, um Zustimmung oder Ablehnung auszudrücken. Eine Faust mit nach oben gestrecktem Daumen heißt *thumbs up*, also Zustimmung, und eine Faust mit nach unten gerichtetem Daumen bedeutet Ablehnung, *thumbs down*. Diese Geste kennen wir auch, allerdings aus Filmen, in denen Gladiatorenkämpfe im alten Rom dargestellt werden: Unterlegene Gladiatoren wurden seinerzeit mit einem *thumbs down* in den Tod geschickt. Obwohl nur ein Daumen nach oben oder unten gerichtet wird, findet sprachlich der Plural Verwendung. Unser »Vogel zeigen«, also das intensive Tippen des Zeigefingers an die Schläfe, bedeutet in den USA das Gegenteil, nämlich »Ganz schön schlau!«.

Riesenrad und Pizza

Das erste Riesenrad der Welt wurde 1893 von seinem Erfinder George Ferris auf der Weltausstellung in Chicago errichtet. Es war 80 Meter hoch. Das Riesenrad, das gegenwärtig auf dem *Navy Pier* steht, ist jedoch »nur« 46 Meter hoch. Bei den Amerikanern heißt Riesenrad übrigens auch heute noch *Ferris wheel*.

Die *Chicago Style Pizza* mit extradickem Boden und Unmengen Tomatensoße und Käse, die Torsten und Susanne verzehrten, wurde 1943 in Chicago erfunden. Am Rande ist diese Pizza bis zu sieben Zentimeter hoch.

Pinkeln verboten!

2. August, Chicago, Illinois

Susanne | Gestern Abend sind wir ein wenig in der Nachbarschaft umhergestreift und in der Nähe vom *Lincoln Square* auf eine deutsche Gaststätte gestoßen. *Chicago Brauhaus* stand draußen in großen Buchstaben dran. Das Ganze sah mächtig bayerisch aus. Wir schauten gleich mal auf die Speisekarte, die neben der Tür angebracht war. Da gab es alles, von Sauerbraten über Rindsroulade bis zum Wiener Schnitzel. Torsten wollte unbedingt rein – ich nicht.

»Jetzt sind wir in Amerika und du willst deutsches Essen«, hielt ich ihn zurück. »Klar doch, endlich mal wieder was Vernünftiges zwischen den Zähnen!« Er ließ sich nicht aufhalten. Im Eingangsbereich hing ein Karel-Gott-Poster, im Saal tanzten alte Leute zu Volksmusik. »Hier kriegst du mich nicht rein.« Ich drehte auf der Stelle um und machte mich auf die Suche nach einer anderen Gaststätte. Torsten kam maulend hinterher. Wir fanden auch schnell ein Restaurant mit einem schönen Freisitz. Das Essen war gut, aber Torsten musste unbedingt seinen Kummer über das verpasste Schnitzel mit einigen deutschen Bieren betäuben. »Wenn ich schon kein deutsches Essen haben kann, dann wenigstens deutsches Bier.« Irgendwas in der Richtung murmelte er mehrmals vor sich hin.

Die Rechnung war dementsprechend gepfeffert. Wenn das so weiter geht, wird er noch unser ganzes Urlaubsgeld vertrinken! Auf dem Nachhauseweg musste Torsten dann unbedingt pinkeln – und wie er das so gewohnt war, machte er das an dem erstbesten Baum. Da es dunkel und weit und breit kein Mensch zu sehen war, machten wir uns weiter keine Gedanken – bis plötzlich Fahrradbremsen hinter uns quietschen und ein mürrischer Polizist Torsten anherrschte. Keine Ahnung, wo der auf einmal herkam und was er sagte, alles was ich verstand war das Wort *public*. Er verlangte Torstens Ausweis und schrieb dann einen Strafzettel in Höhe von 110 Dollar aus, die wir gleich in bar bezahlen mussten. Torsten war den Rest des Abends superschlecht gelaunt und schimpfte bloß über die USA, von wegen Land der unbegrenzten Freiheit, in dem man nicht einmal an einen Baum pinkeln könne.

Was ist diesmal schiefgelaufen?

Urinieren in der Öffentlichkeit *(public urination)* ist ein Vergehen, das vielerorts mit einer erheblichen Geldstrafe geahndet wird. Alleine in New York City werden aus diesem Grund jedes Jahr rund 20.000 Strafzettel ausgestellt. Man sollte daher die Leistungsfähigkeit der eigenen Blase gut einschätzen können und vor Verlassen einer Kneipe oder eines Restaurants lieber noch einmal aufs Klo gehen. Wenn man mit dem Auto unterwegs ist, sollte man ebenfalls nicht einfach anhalten und am Straßenrand pinkeln, sondern ein Fast-Food-Restaurant wie *McDonald's* oder *Burger King* aufsuchen, die leicht zugängliche Toiletten haben und wo man nicht unbedingt etwas kaufen muss. Tankstellen und Cafés haben dagegen nicht immer Toiletten oder behalten diese zahlenden Kunden vor. Allerdings könnte man in diesem Fall einfach etwas Kleines, z. B. ein Getränk, kaufen.

Ein wichtiger Hinweis für alle, die nicht nur zwecks Urlaub oder zu Besuch in die USA fahren, sondern beabsichtigen, eine längere Zeit oder für immer dort zu leben: Wer beim Pinkeln in der Öffentlichkeit gestellt wird, riskiert in einigen Bundesstaaten, als Sexualstraftäter registriert zu werden, weil mit dem Urinieren ja auch ein gewisses Entblößen verbunden ist. Das kann zur Folge haben, dass Ihnen viele Berufstätigkeiten verwehrt bleiben, insbesondere wenn es um den Umgang mit Kindern geht. Außerdem lassen sich die Datenbanken mit den Namen und Adressen von Sexualstraftätern per Internet einsehen, sodass z. B. die Eltern der Schulfreunde Ihrer Kinder ihnen den Umgang mit Ihnen verbieten könnten oder die Nachbarn nichts mit Ihnen zu tun haben wollen.

Windy City

In Amerika hat Chicago den Beinamen *Windy City*. Allgemein wird heutzutage angenommen, dass die Stadt so genannt wird, weil es dort sehr windig ist. Chicago liegt immerhin am Ufer des Michigansees und der Wind bläst oft vom Wasser her durch die Häuserschluchten im Stadtzentrum. Die Windgeschwindigkeit in Chicago beträgt allerdings durchschnittlich nur 16,6 km/h. Im Vergleich dazu ist es in Boston (20 km/h) wesentlich windiger und ungefähr gleich windig in New York (15 km/h).

Es gibt daher noch eine andere Erklärung für die Herkunft des Namens: die Rivalität mit Cincinnati. Die Stadt in Ohio war Mitte des 19. Jahrhunderts als Zentrum der Fleischverarbeitung bekannt und nannte sich stolz *Porkopolis*, was eine Kombination aus den Worten *pork* (Schweinefleisch) und Metropolis war. Anfang der 1860er-Jahre begann Chicago jedoch, Cincinnati auf diesem Gebiet zu überholen und beanspruchte den Namen für sich. Die Zeitungen in Cincinnati nannten Chicago daraufhin *Windy City*, im Sinne von »aufgeblasene Stadt«.

Dollarmünzen und Nasenbluten

3. August, Chicago, Illinois

Susanne | Nachdem uns sein blödes Pinkeln gestern Abend mehr als hundert Dollar gekostet hatte, konnte Torsten heute nicht groß rummaulen, als der Eintritt für das *Art Institute of Chicago* achtzehn Dollar pro Person betrug. Obwohl schon das *Detroit Institute of Arts* ein tolles Museum war, so ist doch das *Art Institute of Chicago* noch eine Nummer größer. Das kann man sich gar nicht alles an einem Tag anschauen. Da gibt es aus jeder Kunstperiode und von jedem Kontinent etwas.

Ich wollte mir unbedingt die indianische Kunst ansehen – wenn wir schon mal hier sind. Da gab es hauptsächlich Töpferei und Skulpturen sowie Kleidungsstücke und Decken. Das hat Torsten auch einigermaßen interessiert, denn er hat früher viel Karl May gelesen. Bei der modernen amerikanischen Malerei, zu der wir als nächstes gingen, fing er dann aber schon mit dem Nörgeln an. Von wegen schönes Wetter und wir sind bloß drinnen und so. Da hab ich ihm ganz klar gesagt, dass er ja was anderes machen kann und wir uns dann um vier unten an der Garderobe treffen, wo wir unser Gepäck gelassen hatten, damit wir von hier direkt zum Bahnhof gehen können. (Aus unserem Hotelzimmer mussten wir vor elf Uhr raus sein.) Das haben wir schließlich auch so gemacht – und ich hatte ein paar schöne Stunden in diesem einmaligen Museum.

Torsten | Susanne und ihre Museen! Wenn's regnet, kann ich das ja verstehen – und im Winter auch. Aber wir sind hier in Chicago, es ist Sommer und die Sonne scheint. Ich bin also raus und habe mir an der nächsten Ecke erst einmal ein Eis gekauft – diesmal hat auch keiner gelacht, das Eis war abgepackt. Dann fiel mir ein, dass wir ja eigentlich auch noch Ansichtskarten und Briefmarken brauchten, um den Daheimgebliebenen unsere Urlaubsgrüße zu schicken. Die Ansichtskarten waren kein Problem und zum Glück waren wir auf dem Weg zum Museum auch an einem Postamt vorbei gekommen, zu dem ich schnell zurückgelaufen bin.

An einem Anhang entdeckte ich auch gleich das Luftpost-Porto für Postkarten, dafür standen am Schalter allerdings mindestens 20 Leute an. So wollte ich meine kostbare Zeit in Chicago aber nicht verbringen, da hätte ich auch gleich im Museum bleiben können! Ich ließ meinen Blick durch das Postamt schweifen und sah, wie ein Mann an einem Automaten Briefmarken kaufte. Super!

Ich kam mit dem Automaten auch ganz gut zurecht und wählte die passenden Briefmarken aus. Der Automat wollte am Ende neun Dollar von mir haben – ich gab ihm einen 20-Dollar-Schein und nun begann es im Wechselgeldfach kräftig zu klimpern. Dort lagen am Ende elf goldene Münzen mit der Aufschrift *One Dollar*. Ich wusste gar nicht, dass es die gab, weil ich bisher nur 1-Dollar-Scheine gesehen hatte, an die man sich ja auch erst einmal gewöhnen musste. Egal, ich steckte mir die Münzen in die Hosentasche und zog los, um eine Parkbank zu finden, wo ich mich entspannen und die Postkarten schreiben konnte. Neben dem Museum, in dem sich Susanne gerade der Kunst hingab, war ein riesiger Park mit einem schönen Springbrunnen, der mir irgendwie bekannt vorkam.

In einem spontanen Anflug von Aberglauben begab ich mich zu dem Brunnen, um eine der gerade vom Automaten erhaltenen Dollarmünzen in Hoffnung auf bald nahendes Glück zu versenken. Ich zögerte kurz und überlegte, ob ich wirklich einen ganzen Dollar in den Brunnen werfen sollte, entschied dann aber, dass mir mein Glück doch so viel wert sein sollte. Als ich mich anschließend auf eine der Bänke setze, um einen Blick in den Reiseführer zu werfen und herauszufinden, warum mir der Springbrunnen so bekannt vorkam, tropfte plötzlich Blut auf das Buch in meinen Händen. Verdammt, ich hatte Nasenbluten!

Das kam bei mir alle paar Monate vor und war auch nicht weiter schlimm. Da ich aber kein Taschentuch dabei hatte, war es trotzdem denkbar unpassend. Ich legte den Kopf zurück und befeuchtete den Nacken mit kaltem Wasser aus dem Springbrunnen. Eine Frau mittleren Alters, die auf einem Fahrrad vorbei kam, hielt an und fragte besorgt, ob ich Hilfe bräuchte. Dies war nicht nur sehr nett, sondern auch meine Rettung. »*Do you have a paper handkerchief?*«, fragte ich sie mit Blick in den Himmel. »*Let me see if I have a tissue ... are you from England?*«, erwiderte die Frau, während sie begann, in ihrem Rucksack zu wühlen. Ich hätte beinahe genickt, so stolz war ich auf mein Englisch, aber mit der blutenden Nase ging das schlecht. Sie fand tatsächlich ein halbes Küchentuch und reichte es mir. Im Geiste hatte ich gerade die Idee für eine neue Fernsehwerbung, welche die Saugkraft des Papiertuches betonte.

»*I don't know why I know this!*«, sagte ich, um ihr die Hilfsbereitschaft mit einer kleinen Konversation zu danken, und deutete auf den Springbrunnen. »*Probably from TV*«, erwiderte die Dame. »*Al Bundy!*«, schoss es im gleichen Moment aus mir heraus. Die Frau nickte traurig und verabschiedete sich.

Als Susanne aus dem Museum kam, sah sie mich erschrocken an und fragte, ob ich mich geprügelt hätte. »Nasenbluten, wie immer«, sagte ich, und sie umarmte mich.

Was ist diesmal schiefgelaufen?

Das altmodische Wort *handkerchief* benutzen die Amerikaner nicht, sie sagen entweder *tissue* oder *Kleenex*, was ein Markenname für Papiertaschentücher und damit vergleichbar mit dem deutschen *Tempo* ist. Den Begriff *paper handkerchief* gibt es gar nicht. Die Frau im Park konnte sich jedoch angesichts des Nasenblutens leicht zusammenreimen, wonach Torsten gefragt hatte.

Marken als Gattungsnamen

In Deutschland gehören Begriffe wie *Tempo* und *Tesafilm* so sehr zur Alltagssprache, dass sie über den Markennamen hinaus auch als Gattungsnamen verwendet werden. In den USA ist das genauso: Wattestäbchen werden *Q-tips* genannt, Lippenpflegestift *ChapStick*, Cola *Coke*, Pflaster *Band-Aid*, Klebeband *Scotch tape*, Frischhaltefolie für Lebensmittel *Saran wrap*, wiederverschließbare Plastikbeutel für Sandwiches *Ziploc bags*, Alufolie *Reynolds wrap*, Klettverschlüsse *Velcro*, kurze, eng anliegende Badehosen *Speedo*, Knetmasse für Kinder *Play-Doh*, Müllcontainer *Dumpster*, Klebezettel *Post-it notes*.

Amerikanisches Geld

1-Dollar-Münzen kommen im amerikanischen Alltag wahrscheinlich ebenso selten vor wie das Wort *handkerchief*. Bei der Bevölkerung sind sie, als Sammlerobjekt für Numismatiker und Kinder einmal ausgenommen, nicht gerade sehr beliebt. Die meisten Kassen in den Geschäften haben nicht einmal ein Fach für diese Münzen. Außer als Wechselgeld an Briefmarkenautomaten wird man sie auch so gut wie nie in die Hände bekommen. Noch seltener sind übrigens die 2-Dollar-Scheine, die man so selten zu Gesicht bekommt, dass viele Leute glauben, sie befinden sich gar nicht mehr im Umlauf. Wer einen bekommt, der behält ihn meistens, was ihn noch seltener macht. Auch die 50-Cent-Münze bekommt man extrem selten zu Gesicht, denn in der Regel liegt sie ebenfalls nur bei Sammlern in der Schublade.

Da wir schon einmal beim Thema Münzen sind, soll an dieser Stelle auch erwähnt werden, welche Namen das amerikanische Kleingeld im Alltag hat, da Sie diese Wörter bei Ihrem USA-Aufenthalt unter Umständen hören werden: *penny* (1 Cent), *nickel* (5 Cents), *dime* (10 Cents), *quarter* (25 Cents), *half-dollar* (50 Cents).

Wenn Sie einmal Langeweile haben oder irgendwo anstehen, sollten Sie einen Blick auf die Rückseite der Münzen in Ihrer Hand werfen und die anderweitig verschwendete Zeit zu Bildungszwecken nutzen: Auf den neueren 25-Cent-Münzen, also den *quarters*, ist jeweils ein Bundesstaat, sein Motto und das Jahr aufgeführt, in dem er in die USA aufgenommen wurde. Auf den 1-Cent-Münzen, den *pennies*, wurde ab 2009 jeweils eine von vier Stationen aus dem Leben von Abraham Lincoln abgebildet: eine Blockhütte, die Lincolns Kindheit symbolisieren soll; der junge Lincoln, wie er während einer Arbeitspause auf einem Baumstamm sitzt und liest; Lincoln vor dem Capitol von Illinois, wo er, wie Barack Obama, seine politische Karriere als Volksvertreter begann; sowie das halb fertige Capitol in Washington, D.C. zu Lincolns Zeit als Präsident. Und falls Sie einmal Briefmarken am Automaten kaufen gehen, werden Sie auf der Rückseite der 1-Dollar-Münze wahrscheinlich das Antlitz eines ehemaligen Präsidenten sehen.

Eine Stimme Unterschied

4. August, Ann Arbor, Michigan

Torsten | Auf der Rückfahrt von Chicago nach Ann Arbor gestern Abend war der Zug bis auf den letzten Platz gefüllt. Schon als wir den Bahnhof betraten, erblickten wir eine enorme Schlange im Warteraum. Auf Nachfrage erfuhren wir, dass die Leute in der Schlange alle in unseren Zug wollten. Wir reihten uns ein und warteten rund 20 Minuten, bis sich die Menschentraube endlich in Bewegung setzte. Irgendwie fühlte sich das Ganze mehr nach Flughafen als nach Bahnhof an. Allerdings ohne wirkliche Sicherheitsvorkehrungen. Wir mussten lediglich unsere Tickets vorzeigen, bevor wir den »Bahnsteig« betreten durften. Dieser Begriff trifft, wie schon gesagt, eigentlich gar nicht zu, da es sich nur um einen schmalen, dunklen Weg zwischen den Zügen handelt, auf dem wir wieder mehrmals von Bahnangestellten nach unserem Reiseziel gefragt und jedes Mal weiter nach vorne geschickt wurden. Als wir endlich in einen Wagen hineinklettern durften, mussten wir feststellen, dass wir zu spät kamen und keine Zweiersitze mehr frei waren. Der Schaffner befahl jedoch einer allein reisenden Frau, ihren Platz für uns zu räumen und sich zu einer anderen Frau zu setzen. Das war uns schon ein wenig peinlich. Susanne entschuldigte sich bei der Frau, worauf diese beteuerte, dass das überhaupt kein Problem sei.

Am anderen Ende unseres Wagens saß eine Familie von Amischen, also diese deutschen Einwanderer, die immer noch wie vor 200 Jahren leben, ohne elektrische Geräte und Autos und so. Die ganze Familie war auch dementsprechend altmodisch gekleidet, die Männer hatten durchweg eine Art Topfschnitt-Frisur und einen Bart. Sie trugen schwarze Hosen mit breiten Hosenträgern und hellblaue Hemden. Die Frauen hatten alle einen Zopf und lange Kleider. Die Kinder warfen neugierige Blicke auf die Notebook-Computer der anderen Fahrgäste. Soweit ich weiß, sprechen die Amischen untereinander Deutsch, und ich habe versucht, ein deutsches Wort aufzuschnappen, als ich auf dem Weg zum Imbisswagen an ihnen vorbei ging. Die Kinder saßen aber leider nur still da und die Eltern flüsterten miteinander. Ich hatte auch daran gedacht, sie auf Deutsch anzusprechen, habe das aber dann doch gelassen, weil ich auf die Schnelle gar nicht wusste, was ich sagen sollte. Interessant ist es aber schon, wenn man sich vorstellt, dass es noch Landstriche in den USA gibt, wo hauptsächlich Deutsch gesprochen wird.

»Wenn man bedenkt, dass Deutsch beinahe die offizielle Sprache der USA geworden wäre«, sagte ich zu Susanne, als ich vom Imbisswagen zurückkam, »dann würden Bob Dylan und Neil Young heute Deutsch singen.« Susanne wollte gerade etwas über Herbert Grönemeyer sagen, als sich ein Fahrgast, der auf der anderen Seite des Ganges saß, in unser Gespräch einmischte. »Ich glaube, Sie irren sich«, korrigierte uns der Herr in makellosem Deutsch. »Ach ja?«, erwiderte ich. »Ja, das ist nur eine Legende, diese Abstimmung hat es nie gegeben. Außerdem haben die USA auch überhaupt keine Amtssprache.«

›So ein Quatsch‹, dachte ich. »Sie wollen mir doch nicht weismachen, dass Englisch nicht die Amtssprache der USA ist?« Der Herr nickte: »Ja, das ist kaum zu glauben, stimmt aber! Einige Leute, die sich gegen Einwanderer aus Lateinamerika stark machen, wollen dies auch ändern, weil sie Angst haben, dass hier in einigen Jahren alle Spanisch sprechen.« Er lachte.

Später stellte sich heraus, dass der Herr ein pensionierter Deutschlehrer aus Ann Arbor war, der seine Tochter in Chicago besucht hatte. Er erzählte uns, dass seine Großeltern eine Farm in South Dakota hatten und dass dort damals, kurz vor dem Ersten Weltkrieg, noch viele Leute Deutsch sprachen. Als der Krieg losging, wurden jedoch alle deutschen Bücher aus den Bibliotheken entfernt und den Farmern, die weiterhin Deutsch sprachen, brannte man die Scheunen nieder. Während des Zweiten Weltkrieges schließlich wurden Tausende Deutsche in den USA in Internierungslager gesteckt.

»Die beiden Weltkriege haben die deutsche Kultur in Amerika zerstört«, meinte er. »Ohne die Kriege würden hier vielleicht heute noch viele Leute Deutsch sprechen.« Mit Blick auf die Amischen am anderen Ende des Wagens gerichtet, ergänzte er: »Bei denen ist es bestimmt auch nur eine Frage der Zeit, bis ihnen die deutsche Sprache verloren geht.«

Als wir in den Bahnhof von Ann Arbor einfuhren, gab uns der Herr seine Visitenkarte und sagte, dass wir ihn besuchen sollen, bevor wir nach Deutschland zurückfliegen. Als ich seinen Namen auf der Karte sah, hätte ich beinahe gelacht: Thomas H. Mann. Also fast so, wie der Schriftsteller. Susanne spekulierte später, dass das H. vielleicht Heinrich bedeutete und dass die Eltern des netten Herrn wahrscheinlich einen merkwürdigen Sinn für Humor hatten.

Was ist diesmal schiefgelaufen?

Thomas Mann hatte recht: Dass Deutsch beinahe die offizielle Sprache der USA geworden wäre, stimmt tatsächlich nicht. Diese weitverbreitete Annahme wird immer wieder mit Hinweis auf eine Abstimmung im US-Kongress geäußert, wonach die deutsche Sprache angeblich mit einer Stimme Unterschied der englischen Sprache unterlag. Diese Abstimmung gab es aber so nicht. Vielmehr wurde im Kongress am 13. Januar 1795 ein Gesetzesvorschlag eingebracht, der lediglich vorsah, alle Bundesgesetze auch auf Deutsch zu drucken, damit die vielen deutschen Einwanderer, die noch nicht richtig Englisch gelernt hatten, diese ohne Weiteres lesen konnten. Während der Debatte gab es (wohl aus Zeitgründen) den Antrag, die Angelegenheit zu einem späteren Zeitpunkt weiter zu diskutieren. Dieser Vorschlag unterlag jedoch mit einer Stimme. Damit war die Debatte zu diesem Thema beendet. Einen Monat später wurde der Gesetzesentwurf dann in der eigentlichen Abstimmung endgültig abgewiesen.

Die Eine-Stimme-Unterschied-Legende baut also auf der oben genannten Abstimmung zur weiteren Behandlung des Themas auf. Besonders die zahlreichen deutschen Einwanderer, die sich sprachlich benachteiligt sahen, haben die Angelegenheit dann später aufgebauscht und die Geschichte ein wenig anders wiedergegeben.

Bemerkenswert ist aber, dass das amerikanische Volk die Unabhängigkeitserklärung zuerst in deutscher Sprache lesen konnte. Am 4. Juli 1776 unterschrieb John Hancock, Präsident des in Philadelphia tagenden Kontinentalkongresses, die *Declaration of Independence*. Am 5. Juli war die deutschsprachige Zeitung *Pennsylvanischer Staatsbote* die erste amerikanische Zeitung, die davon berichtete. Auch der erste Abdruck der Erklärung für die Bevölkerung erfolgte auf Deutsch, denn obwohl John Dunlap die englische Originalfassung der Unabhängigkeitserklärung am Abend des 4. Juli für die Teilnehmer des Kongresses druckte, war der deutschsprachige Druck von Steiner und Cist am 5. oder 6. Juli in Philadelphia der erste Abdruck für die Bevölkerung. Die Zeitung *Pennsylvania Evening Post* veröffentlichte den englischen Originaltext erst später am 6. Juli, da es sich um eine Abendzeitung handelte.

Obwohl die USA bis heute keine offizielle Landessprache haben, nimmt Englisch in der Praxis zweifellos diese Rolle ein. In 27 Bundesstaaten wurde es mittlerweile zur Amtssprache erklärt. Einige Bundesstaaten veröffentlichen aber offizielle Dokumente zusätzlich zum Englischen noch in einer weiteren Sprache, nämlich Hawaii auf Hawaiisch, Louisiana auf Französisch und New Mexico auf Spanisch. In Arizona müssen Wahldokumente im Gebiet der Navajo-Indianer in deren Sprache veröffentlicht werden. In den anderen Indianerreservaten werden die jeweiligen Sprachen in den meisten Fällen ebenfalls mehr oder weniger offiziell gebraucht.

Sprachenvielfalt in den USA

In den USA werden 337 Sprachen gesprochen, von denen 176 auf die Ureinwohner des Gebietes der heutigen USA entfallen. *Navaho* ist die am meisten gesprochene indianische Sprache mit mehr als 170.000 Muttersprachlern in Arizona, New Mexico und Utah. *Dakota* wird von 18.000 Menschen in North Dakota und South Dakota gesprochen. Dazu kommen 22.000 in Kanada. *Cherokee* wird noch von 22.000 Menschen als Muttersprache verwendet, vor allem in Oklahoma und North Carolina. Viele der Sprachen sind, wie 52 Indianersprachen vor ihnen, ebenfalls vom Aussterben bedroht, denn in den USA dominieren seit Langem die Sprachen der Einwanderer.

Laut *American Community Survey* aus dem Jahr 2011 sprachen 231 Millionen Menschen, die älter als fünf Jahre alt waren, Englisch als Muttersprache, 38 Millionen Spanisch, 2,9 Millionen Chinesisch, 2,1 Millionen Französisch bzw. Französisch-Kreolisch, 1,6 Millionen Tagalog, 1,4 Million Vietnamesisch, 1,1 Millionen Koreanisch, 1,1 Millionen Deutsch, 952.000 Arabisch, 906.000 Russisch, 724.000 Italienisch, 674.000 Portugiesisch, 649.000 Hindi, 608.000 Polnisch, 436.000 Japanisch, 408.000 Persisch, 374.000 Urdu, 358.000 Gujarati und 305.000 Griechisch.

Berechnungen sagen übrigens voraus, dass im Jahr 2050 mehr als 100 Millionen *Hispanics* in den USA leben werden. Damit wird ein Viertel der amerikanischen Bevölkerung Spanisch als Muttersprache sprechen. Schon jetzt werden Formulare zunehmend zweisprachig gedruckt, und wenn man bei einer Bank anruft oder Geld am Automaten abhebt, hat man meistens die Wahl zwischen Englisch und Spanisch. Die Zahl der Zeitschriften, Radio- und Fernsehsender in spanischer Sprache nimmt ebenfalls stark zu. Hin und wieder kann man auch in den englischsprachigen Medien Werbung auf Spanisch sehen. *Walmart*, der größte Einzelhändler der USA, testet zudem in Texas und Arizona neue Supermarkt-Konzepte für die Spanisch sprechende Bevölkerung: *Supermercado de Walmart* und *Más Club*. Das Lebensmittelangebot entspricht den Bedürfnissen dieser Bevölkerungsgruppe und die Waren sind auf Spanisch und Englisch ausgeschildert.

Die Amischen

Im Jahr 1693 hat sich in der Schweiz eine Gruppe von Mennoniten von der Hauptgemeinde abgetrennt. Das geschah unter der Führung von Jakob Ammann. Anlehnend an dessen Namen nennen sich die Amischen damals wie heute »amische Leit«. Die amerikanische Bezeichnung für die Amischen ist *Amish* bzw. *the Amish*. Das A wird dabei von den Amerikanern wie das deutsche A ausgesprochen. Die in Deutschland mitunter verwendete Bezeichnung *Amish people* (mit englisch ausgesprochenem A) ist falsch.

Etwa 250.000 bis 300.000 Amische leben heute in ländlichen Gemeinden, die sich in 28 US-Bundesstaaten befinden, vor allem in Pennsylvania, Ohio und Indiana, sowie im kanadischen Ontario. Sie sprechen Pennsylvania-Deutsch, eine Sprache die sich im 18. Jahrhundert durch die Angleichung verschiedener süddeutscher Dialekte auf der Basis des Pfälzischen entwickelt hat. Im Englischen heißt diese Sprache *Pennsylvania Dutch*, was jedoch irreführend ist, da *Dutch* im heutigen Englisch »Niederländisch« bedeutet, früher jedoch Deutsch und Niederländisch zusammenfasste.

Rechtsabbiegen bei Rot

4. August, Ann Arbor, Michigan

Susanne | Wir haben vorhin den Mietwagen abgeholt und wurden dann innerhalb von 30 Minuten gleich zweimal von der Polizei angehalten! Warum bestand Torsten auch darauf, dass ich erst einmal fahren sollte ... Nur damit er dann später auf der Autobahn fahren dürfe. Vielleicht hat er ja mehr Glück mit den amerikanischen Verkehrsregeln – die verstehe doch, wer will!

Zum Beispiel was das Rechtsabbiegen bei Rot betrifft: Gleich bei der Autovermietung standen wir an einer Ampel und von links kam keiner. Aber da ich nicht wusste, ob wir bei Rot abbiegen durften, hatte ich vorsichtshalber erst einmal gewartet. Mein Hintermann fing natürlich gleich an zu hupen – damit war die Entscheidung gefallen, also bog ich ab. Kein Problem. Fünf Minuten später standen wir an einer anderen Ampel. Wieder bei Rot, auch dieses Mal kam kein Querverkehr. Hinter uns stand natürlich wieder jemand, worauf ich zügig abgebogen bin, damit wir nicht erneut angehupt werden. Außerdem hatte mir Torsten schon beim Zufahren auf die Ampel mit »Ich glaube, du kannst hier abbiegen« die Entscheidung mehr oder weniger abgenommen.

Plötzlich heulte hinter uns eine Sirene und im Rückspiegel sah ich einen Lichterreigen wie auf dem Rummelplatz. Ich fuhr rechts ran und suchte erst einmal meinen Lippenstift, eine Angewohnheit, die immer durchschlägt, wenn ich aufgeregt bin. »Du musst die Hände am Lenkrad lassen!«, herrschte Torsten mich an. »Sonst denkt der, dass du nach einer Pistole suchst!« So ein Quatsch. Ich schaute wieder in den Spiegel und sah, wie der Polizist irgendetwas auf dem Beifahrersitz zu machen schien. »Lass die Hände am Lenkrad!« Torsten konnte einem manchmal wirklich auf die Nerven gehen.

Der Polizist stieg endlich aus und kam, wie ein Cowboy die Hand am Pistolenhalfter haltend, langsam auf unser Auto zu. Er bedeutete mir, das Fenster herunterzukurbeln. Ich lächelte ihn ganz lieb an, manchmal soll das ja helfen. Er lächelte auch ein bisschen zurück und fragte uns, ob wir einen Mietwagen fuhren und wollte dann die Papiere sehen. Woher er das wohl wusste?

Ich gab ihm meinen deutschen Führerschein und den Mietvertrag. Er ging zurück zu seinem Wagen. Jetzt schien er etwas zu schreiben. Torsten und ich fingen in der Zwischenzeit an zu streiten, weil er mich erst zum Abbiegen gedrängt hatte und jetzt mit dem ständigen Hände-auf-dem-

Lenkrad-lassen nervte. Plötzlich stand der Polizist wieder neben meinem Fenster und reichte mir den Strafzettel: Er wollte 65 Dollar von uns haben! 65! Ich fragte: »*Why?*«

Er antwortete irgendetwas von »*No turn on Red*«. Ich wollte noch antworten, aber Torsten fuhr mich an, dass ich einfach bezahlen sollte, bevor ich es noch schlimmer machen würde. Der Polizist sah mich mitleidig an. Wir fuhren weiter. Die nächsten zehn Minuten haben wir uns dann gegenseitig angeschrien – das wäre wahrscheinlich auch noch Ewigkeiten so weiter gegangen, hätte da nicht plötzlich wieder eine Sirene hinter uns aufgeheult. Also erneut rechts ran.Der Polizist war der gleiche von vorhin. Hatte der etwas vergessen oder wollte er mir vielleicht beistehen? Als ich das Fenster herunterkurbelte schossen mir plötzlich die Tränen in die Augen.

»*Do you see that schoolbus?*« Er deutete hinter sich auf die andere Straßenseite. Unscharf konnte ich durch den Tränenschleier hindurch einen dieser typisch gelben amerikanischen Schulbusse ausmachen. Hinter dem Bus hatten anscheinend alle Autos angehalten. »*Now, look here!*« Er tippte auf den Rückspiegel an meiner Tür. Hinter uns, genauer gesagt hinter dem Polizeiauto mit dem angestellten Blaulicht, stand auch alles still. Aha! Anscheinend muss der gesamte Verkehr zum Erliegen kommen, wenn ein Schulbus anhält. Na, man kann es auch übertreiben!

Diesmal hat es der Polizist dann aber zum Glück bei einer Verwarnung belassen, unser Schock war auch so schon groß genug. Als der Schulbus sich wieder in Bewegung setzte, bedeutete er uns, loszufahren – und wir waren zu erschöpft zum weiteren Streiten.

Torsten | Nur um es festzuhalten: Ich habe Susanne weder angeschrien noch zum Abbiegen gedrängt! Und die Hände, das habe ich mal irgendwo gelesen, müssen am Lenkrad bleiben, damit der Polizist nicht denkt, dass man nach einer Pistole unterm Sitz oder im Handschuhfach greift. Aber das mit dem Schulbus war dann wirklich bekloppt, das hätte ich auch nicht gewusst.

Was ist diesmal schiefgelaufen?

An amerikanischen Ampeln darf bei Rot nur nach rechts abgebogen werden, wenn kein Verkehr kommt und wenn es kein Hinweisschild mit der Aufschrift *No Turn On Red* (Kein Abbiegen bei Rot) gibt. Allerdings weiß man nie so richtig, wo sich dieses Schild befindet. Mitunter ist es über der Kreuzung an der Ampel angebracht. Da aber viele Ampeln in den USA nicht an stabilen Masten befestigt sind, sondern an quer über die Straße gezogenen Kabeln hängen, kann sich das Schild auch am Fahrbahnrand befinden. Manchmal steht es auch in einigen Metern Entfernung von der Straßenecke, sodass man schon daran vorbei ist, wenn man direkt an der Kreuzung anhält. Besonders im Dunkeln kann man diese Schilder leicht übersehen. Im Zweifelsfall ist es daher besser, auf Grün zu warten.

Die Regelungen zum Anhalten hinter einem Schulbus unterscheiden sich von Staat zu Staat. Man sollte die Augen offen halten und schauen, was die anderen Verkehrsteilnehmer machen. In der Regel sollte man auf jeden Fall halten, wenn man sich in der gleichen Fahrtrichtung wie der Bus befindet und erst wieder losfahren und überholen, wenn das seitlich herausgeklappte Stoppschild wieder verschwunden ist bzw. wenn der Bus sich wieder in Bewegung gesetzt hat. In einer ganzen Reihe von Staaten müssen aber auch die Autos in der entgegengesetzten Fahrtrichtung anhalten, es sei denn, zwischen den Spuren befindet sich eine Leitplanke, eine Betonbarriere oder ein Grünstreifen.

Weitere Besonderheiten im amerikanischen Straßenverkehr

Zu den Besonderheiten im amerikanischen Verkehr zählen u. a. die Stoppschilder mit dem *3-way* oder *4-way*-Zusatz. Hier hat nicht der Vorfahrt, der von rechts kommt, sondern wer zuerst an der Kreuzung angehalten hat und dann, bei mehreren Fahrzeugen, abwechselnd in jede Fahrtrichtung immer der, der als nächster ankam. Schilder mit der Aufschrift *no exit* oder *no outlet* weisen auf Sackgassen hin, *do not pass* verbietet das Überholen und *no turn* das Abbiegen, *xing (crossing)* bedeutet Fußgängerüberweg, *junction* Kreuzung und *yield* Vorfahrt beachten.

Besonders nachts blinken die Ampeln an bestimmten Kreuzungen kontinuierlich rot oder gelb. Bei einer gelb blinkenden hat man Vorfahrt. Man sollte trotzdem die Fahrt etwas verringern und mit Vorsicht über die Kreuzung fahren, insbesondere zu fortgeschrittener Stunde, da dann erschöpfte oder eventuell angetrunkene Autofahrer unterwegs sein können. Wenn die Ampel in Fahrtrichtung rot blinkt, muss man jedoch unbedingt anhalten und gegebenenfalls Vorfahrt gewähren. Einige Ampeln blinken nachts auch in alle Richtungen rot, sodass sie wie die *4-way-stops* funktionieren.

Die Polizei lauert mit Vorliebe in der Nähe von Ampeln mit *no-turn-on-red*-Schildern oder rotem Dauerblinken sowie an *4-way-stops*, da viele Leute hier nicht richtig anhalten, d. h. ihr Fahrzeug nicht zu einem kompletten Stillstand bringen, besonders wenn das Verkehrsaufkommen niedrig ist.

Im amerikanischen Straßenverkehr, insbesondere auf den Autobahnen, muss man immer damit rechnen, dass man von rechts überholt wird. Vorsicht auch beim Überholen der riesigen Trucks. Nur wenn man den Fahrer in dessen Rückspiegel sehen kann, sieht auch er das vorbeifahrende Auto.

Beim Auto fahren in den Vereinigten Staaten sollte man möglichst gelassen bleiben und jederzeit auf Überraschungen gefasst sein. Die Fahrausbildung in den USA lässt in der Regel viele Wünsche offen, denn die Fahrprüfung ist vielerorts umfangbeschränkt und sehr einfach. Beharren Sie nie auf Ihrem Recht und verlassen Sie sich nicht darauf, dass die anderen Verkehrsteilnehmer z. B. die Vorfahrtsregeln kennen. Werden Sie nicht ärgerlich und unterlassen Sie unbedingt obszöne Gesten als Reaktion auf das Verhalten anderer Autofahrer. Denken Sie daran, dass diese unter Umständen bewaffnet sein könnten. Nachts sollten Sie an einer roten Ampel nach Möglichkeit nicht auf gleicher Höhe mit einem anderen Fahrzeug halten. Vermeiden Sie den Blickkontakt mit Insassen des anderen Autos. Das mag vielleicht ein wenig übertrieben klingen, aber für viele Amerikaner, besonders in Gegenden mit relativ hoher Kriminalität, ist diese Verhaltensweise selbstverständlich.

Und da wir schon einmal beim Thema Blickkontakt sind: Ein wortloses Mustern und Anstarren, wie man es teilweise in deutschen Nahverkehrsmitteln beobachten kann, ist in den USA verpönt. Wenn Sie jemandem in der U-Bahn oder im Bus gegenübersitzen, sollten Sie diese Person nicht länger als einen Augenblick anschauen. Alles andere wird als aufdringlich und extrem unangenehm aufgefasst. In solchen Situationen, aber auch bei Begegnungen im Hausflur, im Fahrstuhl, im Park und dergleichen, besonders wenn keine anderen Personen zugegen sind, sagen Amerikaner oft *»How is it going?«* (Wie geht's?) Als Antwort wird *»Good!«* oder *»Fine!«* erwartet und Sie können auch zurückfragen: *»How are you?«* Durch diesen freundlichen Austausch wird dem Fremden signalisiert, dass man ihm wohlgesinnt ist und er sich keine Sorgen um seine Sicherheit machen muss. Das hat bestimmt auch historische Wurzeln, da sich in den Weiten Amerikas oft Leute in einsamen Gegenden begegneten und sich auf diese Weise mögliche Konfliktsituationen am einfachsten vermeiden ließen.

Kreisverkehr

Der Kreisverkehr *(roundabout)* war in den USA über viele Jahrzehnte hinweg in Vergessenheit geraten, ist jetzt aber wieder auf dem Vormarsch: 1990 wurde der erste moderne Kreisverkehr in einem Vorort von Las Vegas gebaut und mittlerweile ist seine Zahl landesweit auf mehr als 3.700 angestiegen. Aber aufgepasst: Viele Amerikaner sind mit dem Kreisverkehr noch nicht sehr vertraut und befahren diesen oft recht verunsichert.

Wenn man von der Polizei angehalten wird

Wird man von der Polizei angehalten (in der Regel wird man durch Sirene und Warnlichter zum rechts Ranfahren aufgefordert), muss man unbedingt im Auto sitzen bleiben. Die Hände bleiben am Lenkrad, so wie Torsten das ganz richtig angemerkt hat. Erst wenn der Polizist dazu auffordert, sucht man nach den Papieren. Auf gar keinen Fall sollte man anfangen, mit dem Polizisten zu diskutieren. Bei höflichem Verhalten stehen die Chancen oft recht gut, mit einer Verwarnung davonzukommen.

Wie Susanne es beschrieben hat, kann es einige Minuten dauern, bis der Polizist aus seinem Auto aussteigt und von hinten an das angehaltene Auto herankommt. Er hat dann zuvor in einer Datenbank nachgeschaut, ob gegen den Halter des gestoppten Autos irgendetwas vorliegt oder ob das Auto vielleicht gestohlen wurde. Beim Erstkontakt hat der Polizist seine Waffe normalerweise griffbereit, da er ja nicht weiß, was ihn erwartet und ob die Insassen des Autos möglicherweise bewaffnet sind. Er wird sich normalerweise den Führerschein *(driver's license)*, die Registrierung *(registration)* des Autos und den Versicherungsnachweis *(proof of insurance)* zeigen lassen. Bei Mietwagen sollte der Mietvertrag anstelle der Registrierung und des Versicherungsnachweises gezeigt werden. Der Polizist wird dann meistens zu seinem Wagen zurückgehen und per Computer abfragen, wie viele Strafzettel der Fahrer bereits hat. Wer noch keine Strafzettel hatte, kommt oft mit einer Verwarnung davon, wenn das Vergehen nicht schwer war. Wer schon »vorbestraft« ist, erhält meistens einen weiteren Strafzettel, öfter auch eine Vorladung vors Gericht.

Auf Umwegen direkt nach Norden

4. August, Traverse City, Michigan

Torsten | Wir sind gerade in Traverse City, im Norden von Michigan angekommen. Mann, das war vielleicht eine Fahrt! Ich bin hundemüde. Eigentlich sollte die Strecke in viereinhalb Stunden zu schaffen sein, es gab aber einen Haufen Baustellen, wo der Verkehr nur langsam auf einer Spur dahin kroch – und dann haben wir uns doch tatsächlich zweimal verfahren. Eigentlich sollte das unmöglich sein, denn es gibt eine Autobahn, die im Prinzip direkt von Ann Arbor nach Traverse City führt. Aber Susanne findet sich auf keiner Karte zurecht und mich hat die miserable Ausschilderung verwirrt, sodass wir letztendlich gut sechseinhalb Stunden für die Fahrt brauchten!

Gleich hinter Ann Arbor ging es los. Es gab eine Menge Verkehr, der sich im Schneckentempo an einer Baustelle vorbeischob. Nach einer Weile spaltete sich die Autobahn, die *US-23* hieß, und ich hatte keine Ahnung, ob ich nach links oder rechts fahren sollte. Die Spuren, die nach links führten, waren als *exit* ausgeschildert, aber abfahren wollte ich nicht, denn ich wusste, dass wir die gesamte Strecke nach Traverse City auf der Autobahn zurücklegen würden. Also blieb ich rechts.

Susanne starrte auf die Karte und konnte mir auch nicht sagen, wo wir lang mussten. Dann meinte sie: »Ich glaube, jetzt sind wir auf der *US-23 E*, wir hätten aber die *US-23 N* nehmen müssen.« Ich verstand gar nichts. »Na, *E* bedeutet wohl *East*, also Osten, und *N* heißt Norden, und da wollen wir doch hin!«

Ein paar Meilen später gab es eine richtige Ausfahrt, da bin ich erst einmal runter von der Autobahn. Ein Blick auf die Karte bestätigte, dass wir tatsächlich nach links hätten fahren müssen. Also zurück auf die Autobahn, diesmal Richtung Westen und rein in den Stau. Im Schneckentempo näherten wir uns der Stelle, wo wir nach Norden abbiegen würden. Dieses Mal ging es also nach rechts, sodass ich in dem stockenden Verkehr nicht groß die Spuren wechseln musste.

Als wir im Stau so dahin krochen, stieg die Temperatur im Auto auf ein ansatzweise unerträgliches Niveau. Zumindest für mein Empfinden, Susanne fand es noch völlig in Ordnung und war strikt dagegen, ihr Fenster zu schließen und die Klimaanlage zu starten. »Du bist ja schon genauso wärmeempfindlich wie die Amis.« Den Kommentar konnte sie sich wirklich sparen, aber sie legte sogar noch nach: »Möchtest du vielleicht ein paar Eiswürfel für deine

Cola?« Ich schloss wortlos das Beifahrerfenster mit dem auf meiner Seite befindlichen Steuerknopf und schaltete die Klimaanlage ein.

Das darauffolgende Hin und Her zwischen Susannes Anstrengungen, das Fenster zu öffnen, und meinen prompt folgenden »Fernschließungen« gipfelte in einem Sieg meiner Person – und einem Kälteeinbruch durch erhöhte Klimaanlagenaktivität. Als ich die Klimaanlage daraufhin wenige Minuten später abschaltete, entfuhr Susanne ein triumphierendes »Siehste!« Wir mussten beide lachen.

Mittlerweile waren wir auf der *I-75* gelandet, die aber gleichzeitig auch immer noch die *US-23* und dementsprechend doppelt beschildert war, und brausten nach Norden. Den nächsten Stau gab es erst, als wir die Stadt Saginaw erreichten. Da wir beide hungrig waren und Susanne aufs Klo musste, beschlossen wir, hier abzufahren und zu *McDonald's* zu gehen. Wir aßen beide einen Hamburger. Aufs *root beer* verzichtete ich diesmal.

Anschließend hatten wir Schwierigkeiten, die Autobahn wieder zu finden. Schließlich sahen wir ein Schild mit der Aufschrift *I-675* und nach einem Blick auf die Karte meinte Susanne, dass diese Straße zur *I-75* zurückführte. Als wir dort ankamen, war die Ausschilderung jedoch wieder total verwirrend. Ich verlor langsam die Nerven. »Wo lang denn nun?«, entfuhr es mir lauter als gewünscht.

Während Susanne etwas murmelte wie »Was weiß ich denn ...« gerieten wir auf die Rampe, die zur *I-75* in südlicher Richtung führte. Das konnte doch wohl nicht wahr sein! Umdrehen ging nicht, und so fuhren wir tatsächlich erst einmal wieder in Richtung Ann Arbor. Im Auto herrschte eine Hitze, dass einem das Wasser den Rücken runter lief, Susannes Schweigen jedoch war eisig. »Meine Schuld ist das nicht!«, sagte sie trotzig. »Meine vielleicht?«, antwortete ich verärgert. »Gib mir mal die Karte!« Sie hielt die Karte fest in der Hand. »Pass du lieber beim Fahren auf!«

Zum Glück gab es bald eine Abfahrt und wir konnten auf der anderen Seite wieder auffahren und unseren Weg in Richtung Norden fortsetzen, nicht ohne noch mal kurz im Stau stecken zu bleiben. So eine Zeitverschwendung!

Susanne | Von wegen Unfähigkeit in Sachen Autokarte. Wir haben uns bloß verfahren, weil die Ausschilderung irgendwie keinen Sinn machte und Torsten total ungeduldig war und am Ende wieder alles besser wissen wollte! Und die Klimaanlage muss doch nun wirklich nicht sein. Wir sind doch bisher auch ohne ausgekommen!

Was ist diesmal schiefgelaufen?

Die Abfahrten *(exits)* der amerikanischen Autobahnen sind oft ungünstig gebaut und schlecht ausgeschildert. Wenn man eine Strecke nicht kennt, kann man sich sehr leicht verfahren. *Exits* können nämlich sowohl auf der rechten als auch auf der linken Seite liegen und nicht immer kann man voraussagen, wo sich die Ausfahrt befindet. Man sollte auf jeden Fall bei den Hinweisschildern, welche die Abfahrt ankündigen, darauf achten, auf welcher Seite die *exit number* angebracht ist. Steht diese Nummer rechts, dann liegt die Abfahrt wahrscheinlich rechts. Steht die Nummer links, dann wird sich die Abfahrt wohl auf der linken Seite befinden. Allerdings wird diese Ausschilderungsmethode nicht überall genutzt, sodass Sie sich darauf alleine leider nicht verlassen können.

Achten Sie zusätzlich vor allem auf die *exit-only*-Spuren, in die Sie sich gegebenenfalls einordnen müssen. Diese Spuren werden letztendlich zu Ausfahrten. Oft werden bestehende Spuren auf der rechten oder linken Seite zu solchen *exit only lanes*. Sollten Sie also nicht ausfahren wollen, müssen Sie rechtzeitig in eine andere Spur wechseln, um auf der Autobahn bleiben zu können. Vorsicht: Seien Sie vor Autofahrern auf der Hut, die zu spät merken, dass sie in der falschen Spur sind. Diese nehmen dann oft riskante

Spurwechsel vor und bringen sich und andere Verkehrsteilnehmer in Gefahr.

Highways und Freeways

Highways sind Fernverkehrsstraßen, die auch durch Ortschaften und über Verkehrskreuzungen führen können. *Freeways* sind *highways*, die wie deutsche Autobahnen nur über spezielle Auf- und Abfahrten befahren werden können und deren Verkehrsfluss nicht durch Ampeln unterbrochen wird. Ihre Streckenführung kann auf einzelne Staaten beschränkt sein, aber auch als sogenannte *Interstates* durch mehrere Staaten verlaufen. Die erste Straße, die von der Ostküste zur Westküste führte, war der *Lincoln Highway*, der 1913 eingeweiht wurde. Die Strecke begann am Times Square in New York City, ging durch 13 Bundesstaaten und endete nach 5.454 Kilometern am *Lincoln Park* in San Francisco. Der Highway wurde auch *The Main Street Across America* (Amerikas Hauptstraße) genannt.

Während die Highways in den Anfangsjahren Namen wie *Lincoln Highway*, *Ben Hur Highway*, *Atlantic Highway*, *Lakes-to-Sea Highway* und *Yellowstone Highway* trugen, wurde 1926 ein System der nummerierten Fernverkehrsstraßen, *U.S. Routes* genannt, eingeführt.

1956 beschloss man schließlich, ein *Interstate Highway System* zu bauen. Die Planung dafür hatte schon 1938 begonnen, als Präsident Franklin D. Roosevelt dem Leiter der Straßenaufsichtsbehörde eine handgezeichnete Karte mit acht *Interstate Highways* gab. Präsident Dwight D. Eisenhower setzte dann den Beschluss zum Bau endgültig durch. Als Oberbefehlshaber der alliierten Streitkräfte in Europa während des Zweiten Weltkrieges hatte er gesehen, wie wichtig ein solches Autobahnnetz war.

Orientierung auf den *Interstates*

In vielen Bundesstaaten richtet sich die Nummerierung der *Interstate*-Ausfahrten nach der Meilennummer, z. B. *exit 65* liegt nahe Meile 65. Wenn das der Fall ist, kann man durch das Verfolgen der Nummern auf den *mile markers* am Fahrbahnrand den Abstand zu der gewünschten Ausfahrt leicht einschätzen. Das ist aber nicht in allen Staaten so. In einigen Staaten werden einfach alle Ausfahrten durchgehend nummeriert. So könnte *exit 28* bei Meile 230 und *exit 50* bei Meile 320 liegen. Durch einen Blick auf die Karte und das Vergleichen der *exit numbers* mit den *mile markers* erkennt man jedoch sehr schnell, um welches System es sich handelt.

Die *mile markers* zeigen übrigens die Entfernung von der Bundesstaatsgrenze an, wo die *Interstate* in den jeweiligen Staat hineinführte. An jeder Grenze beginnt die Meilenzählung neu. Die Zahlen steigen von Süden nach Norden und von Westen nach Osten an. Wenn der Anfangspunkt einer *Interstate* innerhalb eines Staates liegt, beginnt dort die Zählung. Wenn Sie in einen Staat von Norden oder von Osten hineinfahren, werden Sie demnach zuerst hohe Zahlen sehen, die dann allmählich kleiner werden.

Auf den *Interstates* spielen die Himmelsrichtungen generell eine wichtige Rolle bei der Orientierung. So werden

Auffahrten nicht nur mit der entsprechenden Fahrtrichtung ausgeschildert, z. B. *I-94 East* und *I-94 West*, vielmehr geben die Nummern der *Interstates* an sich schon Aufschluss über ihren generellen Verlauf: *Interstates* mit geraden Zahlen, z. B. *I-94*, führen immer von Osten nach Westen bzw. umgekehrt und *Interstates* mit ungeraden Zahlen, z. B. *I-75*, verlaufen immer von Norden nach Süden oder umgekehrt. Dieses System wird Ihnen bekannt vorkommen – ebenso funktioniert das Nummernsystem der deutschen Autobahnen.

Es gibt auch *Interstates* mit dreistelligen Zahlen. Diese Strecken verbinden andere *Interstates* miteinander. Wenn die erste Stelle gerade ist, dann handelt es sich in der Regel um eine Ringautobahn, die an beiden Enden an eine *Interstate* angeschlossen ist, z. B. um oder durch eine Stadt führt und im Durchfahrtsgebiet eine schnelle Verbindung zur eigentlichen *Interstate* ermöglicht. Die *I-675*, auf der Torsten und Susanne gefahren sind, führt z. B. durch die Stadt Saginaw und ist an beiden Enden mit der *I-75* verbunden. Ist die erste Stelle jedoch eine ungerade Zahl, dann gibt es nur an einem Ende einen Anschluss an die *Interstate*. Der *highway* könnte dann z. B. in das Zentrum einer Stadt führen und dort enden bzw. mit anderen Straßen verschmelzen.

Strandsitten

5. August, Traverse City, Michigan

Torsten | Traverse City liegt in einer idyllischen Bucht am Michigansee und scheint ein wichtiger Badeort zu sein, denn am Ufer steht ein Hotel neben dem anderen. Wir haben Glück gehabt: Unser Zimmer liegt zu ebener Erde und wenn wir aus der Verandatür treten, sind wir schon am Strand, der allerdings nur circa 20 Meter breit ist. Aber immerhin gibt es keine Steine, man kann also nach Herzenslust herumtollen.

Nach dem Frühstück bin ich heute Morgen auch gleich mal ins Wasser gerannt und eine Runde geschwommen. Als ich danach – leicht erschöpft – wieder ans Ufer gestapft kam, sah ich, wie ein Ehepaar mit zwei Kindern, die im zweiten Stock auf dem Balkon saßen, mich erst fassungslos anstarrten, die Frau dann hysterisch lachte, der Mann den Mund angewidert verzog und die Kinder miteinander tuschelten. Merkwürdig, dachte ich. Nun ja, vielleicht wurde hier morgens nicht gebadet, möglicherweise aus religiösen Gründen, immerhin war ja Sonntag. Irgendwie hatte ich auch den Eindruck, dass die Frau auf meine Badehose geschaut hatte. Sie hatte doch nicht etwa über deren Inhalt gelacht? Das Wasser war ja sehr kalt gewesen, da schrumpft bekanntlich so manches, und das kann schnell mal einen falschen Eindruck vermitteln.

Am Nachmittag erkundeten wir die Gegend, die hauptsächlich aus Kirschbaumplantagen bestand, auf denen man selber die süßen Früchte pflücken und Kirschwein kosten konnte. Wir kosteten erst und taumelten dann beseelt von Baum zu Baum, um unsere Bäuche und einen Plastikeimer mit den schönsten Kirschen zu füllen.

Nach einem kurzen Schläfchen ging es wieder an den Strand, der nun dicht belegt war – anscheinend waren die Gottesdienste jetzt wohl vorbei. Noch halb verschlafen nach einem freien Plätzchen suchend, nahm ich wahr, wie alle irgendwie meine Körpermitte begutachteten, so aus dem Augenwinkel heraus und mit leicht zur Seite abgewendetem Kopf, als ob sie sich eine Operation am offenen Herzen oder die schleimige Geburt eines Kalbes im Fernsehen anschauten. Ich legte mich auf mein Handtuch hin und sinnierte über den Grund. Eine Erektion hatte ich nicht, das kann es also nicht gewesen sein. Viel Zeit zum weiteren Nachdenken gab es allerdings nicht, denn Susanne setzte sich neben mich und reichte mir wortlos die Sonnencreme, die ich ihr auf den Rücken schmieren sollte.

Als ich damit fast fertig war, legte sie wie immer ihr Bikini-Oberteil ab, worauf die gesamte Strandbevölkerung so etwas wie einen unterdrückten Schrei auszustoßen schien. Einige Mütter hielten ihren Kindern die Hände vor die Augen, während sie ihren Männern, die allesamt Susanne anstarrten, böse Blicke und Worte zuwarfen. Nun ja, Susanne ist, wie soll ich es sagen, schon einen Blick wert, aber so eine Reaktion hatte sie noch nie bekommen. Sie sah mich fragend an, ich lächelte teils unsicher, teils stolz zurück und kam zu dem Entschluss, dass das frische Nass meine Sinne und mein Denkvermögen stärken würde. Ich schritt also schnell im Zickzackkurs zwischen den schlagartig verstummenden Strandgästen in Richtung Wasser und warf mich in die Wogen. Hinter mir hörte ich Lachen. Wütend kraulte ich in den See.

Als ich mich nach einigen Minuten umdrehte und in Richtung Strand blickte, stand ein Polizist vor Susanne und reichte ihr ein Badetuch. Seit wann war es Aufgabe der Polizei, am Strand Badetücher auszugeben? Susanne wickelte sich jedenfalls das Tuch um den Oberkörper und schien ihm dann ihren Reisepass zu geben. Ich schwamm schnell zurück zum Ufer, zog erneut alle Blicke auf mich und lief zügig zu unserem Liegeplatz.

Als ich mich dem Polizisten näherte, blickte er von seinem Notizbuch auf, warf ebenfalls einen verwunderten

Blick auf meine Badehose und schüttelte den Kopf. Er gab Susanne ihren Pass zurück und sagte irgendetwas von »*Germany*« und »*beach*«. Susanne schnappte sich daraufhin unsere Sachen und machte sich verärgert auf den Weg zu unserem Hotelzimmer – ich folgte ihr. Der Polizist rief uns noch ein »*Have a nice day!*« hinterher, so wie das hier auch alle Kassierer im Supermarkt machen. Ich blickte kurz über die Schulter und sah ihn grinsen. Was der wohl so lustig fand?

Was ist diesmal schiefgelaufen?

Anders als der Alkoholverkauf ist das Baden am Sonntagvormittag nicht untersagt. Das war also nicht der Grund, warum Torsten beim morgendlichen Schwimmen die Aufmerksamkeit der Familie auf dem Hotelbalkon erregte. Es war vielmehr seine traditionelle, kleine und enge deutsche Badehose. Mit dieser wird ein Mann an den meisten amerikanischen Stränden erstaunte und sogar angewiderte Blicke auf sich ziehen. Mit diesem Kleidungsstück, das im Volksmund *speedo* (nach dem ursprünglichen Hersteller dieser knappen Bademode) beziehungsweise *banana hammock* (»Hängematte für die Banane«) genannt wird, würde sich ein durchschnittlicher Amerikaner nie im Leben in der Öffentlichkeit zeigen, außer bei einem Schwimmwettkampf oder am *gay beach*. Genauso gut könnte er das Bikini-Unterteil seiner Frau bzw. Freundin am Strand tragen.

Kleiderordnung am Strand

»Oben ohne« ist für Frauen in den USA weitgehend tabu bzw. sogar gesetzwidrig und kann unter Umständen durchaus die Polizei auf den Plan rufen, von einigen Stränden in Kalifornien und Florida einmal abgesehen. Also: Männer sollten eine etwa knielange Badehose tragen und Frauen grundsätzlich das Bikini-Oberteil anbehalten. Die gleichen Bekleidungsregeln gelten übrigens auch für den Saunabesuch.

Tankstellen ohne Chefkoch

6. August, Traverse City, Michigan

Susanne | Mit unserem Schulenglisch kommen wir hier leider nicht sehr weit. Das amerikanische Englisch ist eben doch ganz anders, und viele Wörter, die man hier so braucht, haben wir gar nicht gelernt. An manchen Tagen ist es nicht so schlimm, aber an anderen läuft einfach alles schief. Heute war wieder so ein Tag.

Es ging schon am Morgen los. Na ja, »Morgen« ist wohl nicht ganz richtig, »Vormittag« trifft wohl eher zu, denn wir haben natürlich ausgeschlafen (schließlich sind wir ja im Urlaub) und sind erst gegen halb elf aufgestanden. Um diese Zeit gab es im Hotel kein Frühstück mehr und so beschlossen wir, mal in einem richtigen amerikanischen *Diner* frühstücken zu gehen. Wir hatten am Abend, als wir noch ein wenig in der Gegend herumgefahren waren, so einen klassischen *Diner* gesehen, ganz aus Edelstahl und wie aus einem James-Dean-Film.

Schwimmen gehen wollte Torsten heute Morgen nicht, denn er hatte von den gestrigen Vorfällen noch die Nase voll, und so beschlossen wir, uns direkt auf den Weg zu dem *Diner* zu machen. Wir fuhren voller Tatendrang und Hunger los, konnten uns aber nicht so recht daran erinnern, wo der *Diner* denn nun genau war. Am Tag sieht dann alles doch irgendwie ganz anders aus. Da wir uns zum Glück den Namen gemerkt hatten, *Rosie's Diner*, fuhren wir schnurstracks zur nächsten Tankstelle, um dort nach dem Weg zu fragen. Tanken mussten wir sowieso auch noch.

Warum in den USA an jeder Tankstelle die Zapfsäulen anders funktionieren müssen, verstehe ich nicht – an dieser kamen wir jedenfalls überhaupt nicht zurecht. Torsten probierte hin und her – es ging einfach nicht. Also bin ich rein und habe Hilfe geholt. Als ich mit der Kassiererin zurückkam, war Torsten verärgert, denn er ließ sich nicht gern helfen, und schon gar nicht in Sachen Auto – und dann auch noch von einer Frau. Torstens Eitelkeit war mir allerdings völlig egal, hier ging es ja schließlich nur ums Tanken – außerdem wollten wir ja sowieso nach dem Diner fragen. Die Frau war auch sehr nett und hat uns gezeigt, wie's geht: Zapfhahn abnehmen, einen Hebel hochklappen, Benzinsorte auswählen, an der Zapfsäule auf *start* drücken und dann den Zapfhahn betätigen.

»Warum einfach, wenn's auch kompliziert geht!«, maulte Torsten. Die Frau musste allerdings gleich wieder rein, um Kunden zu bedienen und so hatten wir keine Zeit, nach dem Weg zu fragen. Aber an der Zapfsäule neben uns war ein freundlich aussehender Herr – ich ging also rüber und fragte: »*Excuse me, where's Rosie's Diner?*« Der Herr lächelte, er hatte mich verstanden und deutete mit ausgestrecktem Arm die Straße hinunter und sagte etwas von *two blocks* und *turn right*. Ich ahnte ungefähr, was er meinte. Zumindest wusste ich nun die Richtung, in welcher sich der *Diner* befand. Torsten hatte mittlerweile fertig getankt und wir gingen rein zum Bezahlen.

Als wir die Rechnung bekamen, bemerkten wir sofort, dass der Preis wundersam gestiegen war – die Gallone kostete ganze zehn Cent mehr als am großen Schild der Tankstelleneinfahrt angezeigt war. Neben mir wurde es ganz still und dann hörte ich schweres Atmen; es deutete sich wieder einmal eine Torsten-wird-sich-aufregen-Situation an. Die Frau an der Kasse erklärte uns, dass der niedrigere Preis *cash only* sei, und der höhere für Kreditkarten gilt. Torsten zückte das Portemonnaie und wollte gerade die Scheine zählen, als die Frau den Kopf schüttelte und uns klarmachte, dass wir nicht *cash* zahlen könnten. Das war für Torsten zu viel, er ging an die Decke und sagte der Frau, dass er den Chef sprechen wolle. Die Frau schaute uns an, als ob wir soeben aus der Irrenanstalt entflohen wären. Meine weibliche Vernunft schlichtete die Szene, indem ich Torsten sagte, er solle einfach mit Kreditkarte bezahlen, und gut ist's. Torsten murmelte auf dem Weg ins Auto die Worte »Nepper, Schlepper, Bauernfänger«.

Von der Tankstelle aus fuhren wir in die Richtung, die der Mann uns gezeigt hatte, und die Vorfreude auf ein original amerikanisches *Diner*-Frühstück ließ uns den Ärger schnell vergessen. Wir hielten aber vergeblich Ausschau nach den zwei Häuserblocks, die der Mann erwähnt hatte und bei denen wir rechts abbiegen sollten. Nachdem wir mit Sicherheit fast zwei Kilometer nur an hübschen, kleinen Holzhäusern vorbeigefahren waren, kam uns das Ganze langsam merkwürdig vor. Wir beschlossen, noch mal jemanden zu fragen, und bogen bei der nächsten Gelegenheit nach rechts ab – und landeten direkt vor *Rosie's Diner*! Wo der jetzt herkam, verstanden wir zwar nicht – es war uns aber auch egal.

Was ist diesmal schiefgelaufen?

Dass Torsten und Susanne nicht mit der Zapfsäule zurechtkamen, kann passieren. Nicht immer ist offensichtlich, wie das funktioniert – und fragen kostet nichts. Aufgepasst aber beim Thema Benzinpreise: Das Schild, auf dem sie stehen, zeigt oft mehrere Preisgruppen, meistens je nach Kraftstoff, mitunter aber auch nach Zahlungsart. Achten Sie darauf, ob neben dem niedrigsten Preis *cash only* steht.

Sie müssen dann in bar bezahlen, um Benzin zu diesem niedrigen Preis zu bekommen, und zwar vor dem Tanken! Sie gehen also zuerst zum Kassierer, nennen Ihre Zapfsäule, z. B. *pump one*, und zahlen einen von Ihnen gewählten Betrag. Der Kassierer stellt dann den Geldbetrag und den niedrigen Preis auf seinem Computer ein, und wenn Sie tanken, wird der Tankvorgang automatisch beendet, sobald der von Ihnen bezahlte Betrag erreicht ist. An den meisten Tankstellen wird man nach Einbruch der Dunkelheit ohnehin zuerst zur Kasse gebeten, wenn man mit Bargeld bezahlen will. Ansonsten kann man an fast allen Tankstellen und zu jeder Zeit direkt an der Zapfsäule per Kreditkarte zahlen. Der höhere Preis ergibt sich hier durch die Gebühren, die der Tankstellenbesitzer für jede Transaktion per Kreditkarte bezahlen muss.

Wenn man nach dem Vorgesetzten oder dem Filialleiter fragt, sollte man das Wort *manager* verwenden: *»I'd like to talk to the manager.«* Das Wort *chef* bedeutet im Amerikanischen ausschließlich »Chefkoch«, und den wird man an einer Tankstelle natürlich nicht finden.

Was hat es mit dem *block* auf sich?

Der Begriff *block* ist ein etwas missverständliches Wort. Ein *block* ist gekennzeichnet durch die Entfernung, die zwischen zwei Straßen liegt. Dies spiegelt sich dann in den Hausnummern wieder, die in den USA oft drei- und vierstellig sind. Das erste Haus in einer Straße trägt oft die Nummer 100 und nach einer Querstraße springen die Zahlen normalerweise zur nächsten Hundert bzw. bei größeren Straßen sogar zur nächsten Tausend, um einen neuen Block anzuzeigen. So könnte z. B. ein Haus die Nummer 2105 haben – käme danach eine Querstraße, würde das nächste Haus die Nummer 2201 oder gar 3001 tragen. In Wegbeschreibungen geben Amerikaner oft eine bestimmte Zahl von *blocks* an, die man entlang fahren muss, um eine bestimmte Adresse zu erreichen. Auch Straßenkreuzungen werden gern genannt, um einen Ort zu bestimmen. »*The diner is near Liberty and Main*«, besagt z. B., dass sich der *Diner* nahe der Kreuzung von *Liberty Street* und *Main Street* befindet.

Im Diner

6. August, Traverse City, Michigan

Torsten | Wir betraten erwartungsvoll den *Diner*. Im Eingangsbereich standen einige Leute und wir wussten ja mittlerweile, dass wir unsere Namen auf die Warteliste setzen mussten. Wir sahen einen Mann, der hinter einem Podest stand, auf dem das Buch mit der Liste lag und eine Skizze mit allen Tischen, in die er Kreuze machte. Er rief *»Steve! Party of two«* und ein junges Pärchen stand von einem kleinen Bänkchen auf. Der Mann griff sich zwei Speisekarten, marschierte los und die beiden folgten ihm.

Den Ausdruck Party fand ich in diesem Zusammenhang etwas merkwürdig. Während ich darüber nachgrübelte, dass das Wort doch eigentlich »Feier« bzw. »Partei« bedeutete und welcher sprachgeschichtlicher Zusammenhang da wohl bestand, griff ich mir gedankenversunken den Stift auf dem Podest und schrieb unsere Namen auf die Warteliste, die mich irgendwie an eine Unterschriftensammlung erinnerte.

»Excuse me, Sir, what are you doing?«, fragte der Mann, als er zurückkam. *»We want to wait for breakfast«*, erwiderte ich freundlich. Er nahm mir den Stift wortlos aus der Hand.

Nach etwa zehn Minuten Wartezeit bedeutete er uns dann endlich, ihm zu folgen. Er wies uns ein Separee am Fenster zu. Unsere Kellnerin war geschwind zur Stelle, überschüttete uns mit einem Redeschwall, stellte zwei Plastikbecher mit eiskaltem Leitungswasser auf unseren Tisch und sah uns erwartungsvoll an. Die Kellnerin sagte irgendwas von *coffee* und wir nickten beide. Blitzschnell rannte sie davon, dreißig Sekunden später war sie wieder da und knallte zwei kleine, schmale Tassen Kaffee auf die Tischplatte. Sie zückte ihr Notizbuch und war bereit, unsere Bestellungen entgegenzunehmen. Ich hatte allerdings noch gar keine Zeit gehabt, auf die Speisekarte zu sehen.

Die Kellnerin fragte: »*Do you need a minute?*« Ich nickte wieder und war froh, jetzt erst einmal in Ruhe entscheiden zu können. Die Kellnerin lächelte und rannte zum Nebentisch. Ich fragte Susanne, was sie essen wollte. Sie deutete auf die Speisekarte. *Vegetarian Omelet*, stand dort. Ich entschied mich für ein *Farmer's Omelet*, das klang irgendwie sehr nahrhaft. Kaum hatten wir entschieden, war die Kellnerin auch schon wieder da, Notizblock und Stift in der Hand. Anscheinend musste hier alles Ruckzuck gehen, gemütlich frühstücken war in diesem Diner offensichtlich nicht angesagt.

Wir bestellten unsere Omelettes und die Kellnerin fragte uns, ob wir Toastbrot wollten. Ich erwiderte mit einem klaren »*yes*«, aber die Kellnerin fragte noch mal nach, als ob sie es nicht verstanden hätte. Ich wiederholte *»yes«* und die Kellnerin machte achselzuckend eine Notiz. Dann verschwand sie. Als ich mich umdrehte, sah ich, wie sie mit einer Kollegin sprach, mit dem Kopf in unsere Richtung deutete und die andere Kellnerin daraufhin lächelte. Wir hatten bestimmt wieder irgendwas nicht richtig verstanden, fragt sich nur was?

Fünf Minuten später waren unsere Omelettes da. Keine Ahnung, wer die essen sollte, so groß waren die. Aber damit nicht genug. Auf dem Teller lag auch ein kleiner Berg Bratkartoffeln, die allerdings viel kleiner geschnitten waren als bei uns, und zwei zusammengepappte Scheiben Toastbrot, die halb verkohlt waren, vor Butter trieften und diagonal durchgeschnitten waren. Ein Teller alleine hätte genügt, um eine vierköpfige Familie zu versorgen. Wir mussten beide lachen. Ich zückte spontan meine Kamera und hielt diesen Berg an Essen für unsere Freunde fest – wieder drehten sich einige Leute zu uns um, diesmal war es mir aber egal, das musste ich einfach festhalten.

Geschmeckt hat es wunderbar, allerdings konnten wir beide jeweils nur die Hälfte essen. Die Kellnerin kam und wollte uns eine zweite Tasse Kaffee einschenken, die ich aber – man muss auch mal bei kleinen Dingen sparen – für uns beide ablehnte. Wer weiß, wie viele Strafzettel wir noch bekommen, da müssen wir jetzt erst einmal sparsam mit unserem Geld umgehen. Am Ende stellte uns die Kellnerin zwei Styropor-Schachteln auf den Tisch. Warum nicht, dachte ich mir, machen wir es doch einmal wie die Amerikaner. Die Reste vom Omelette wollte ich zwar nicht mitnehmen, ich bestrich aber das Toastbrot mit Marmelade aus kleinen Plastikverpackungen und steckte es in die Schachtel.

»Willst du das wirklich essen?«, fragte Susanne und meinte, dass die angebliche Marmelade doch bestimmt reine Chemie sei. »Na, wir bezahlen doch dafür«, erwiderte ich. Dies war anscheinend auch das Stichwort für unsere Kellnerin (verstand sie etwa Deutsch?), uns die Rechnung auf den Tisch zu legen, einen schönen Tag zu wünschen und wegzugehen.

»Will die denn unser Geld nicht?«, fragte Susanne. Wir sahen dann aber, wie ein Pärchen von einem anderen Tisch ebenfalls gerade aufstand, danach allerdings nicht direkt die Ausgangstür anpeilte, sondern sich zu einer Kasse in der Nähe begab und dort bezahlte. Wir gingen also ebenfalls dorthin und drückten der Kellnerin, die zufällig an uns vorbei kam, auf dem Weg drei Dollar Trinkgeld in die Hand. Sie schien sehr überrascht, bedankte sich aber.

Was ist diesmal schiefgelaufen?

Natürlich sollte man sich nicht selbst in die Warteliste eintragen. Genauso wenig bedeutet der Begriff *party* nur »Feier« oder »Partei«, sondern auch »Gruppe«. Eine *party of five* ist also z. B. eine Gruppe, die aus fünf Personen besteht. Das deutsche Wort Partie, im Sinne von »Er war mit von der Partie« ist dem sicher sehr ähnlich.

Die Kellnerin fragte dann, wie es in einem *Diner* üblich ist, welche Art Toastbrot man zum Omelette haben möchte. Diese Frage kann man natürlich nicht einfach nur bejahen, so wie Torsten und Susanne es taten. Am besten ist es, zu fragen, was für Brotsorten zur Auswahl stehen: *»What are my choices?«* In den meisten Fällen sind das *white* (normales Toastbrot), *wheat* (Weizen) und *rye* (Roggen).

In einem *Diner* gibt es neben Omelettes noch andere Möglichkeiten der Eier-Zubereitung, z. B. *scrambled eggs* (Rührei), *eggs sunny side up* (Spiegeleier mit der »Sonnenseite« nach oben) und *eggs over easy* (von beiden Seiten gebratene Spiegeleier).

Das Nachschenken von Kaffee und Cola erfolgt, wie schon erwähnt, in der Regel kostenlos. Der amerikanische Begriff hierfür ist *free refills.* Durch ihren Verzicht haben Torsten und Susanne also kein Geld gespart.

Bezahlt wird in einem Diner zwar an der Kasse, das Trinkgeld lässt man aber einfach auf dem Tisch liegen. Hat man kein Bargeld dabei, kann man jedoch den Trinkgeldbetrag auch auf den Ausdruck für die Bezahlung per Kreditkarte schreiben. Auf keinen Fall sollte man der Kellnerin das Trinkgeld in die Hand drücken.

Brennende Herzen

6. August, Sleeping Bear Dunes, Michigan

Susanne | Heute Nachmittag sind wir auf den größten Sanddünen rumgeklettert, die ich je in meinem Leben gesehen habe. Die *Sleeping Bear Dunes* liegen in einem Nationalpark im Nordosten von Michigan und sind bestimmt mindestens 100 Meter hoch. Wenn man oben auf den Dünen steht, hat man auf der einen Seite einen malerischen Ausblick auf den Michigansee und auf zwei Inseln im See, auf der anderen Seite sieht man einen Inlandsee und scheinbar endlose Wälder.

Torsten wollte unbedingt den steilen Hang zum Wasser hinunter. Die Menschen unten auf dem schmalen Strand sahen fast so klein aus, wie die Leute in Berlin, wenn man vom Fernsehturm herunter schaut. Und zum Hochklettern schienen sie ewig zu brauchen. Viele sahen schon auf halber Höhe so aus, als ob sie in der prallen Sonne und der sengenden Hitze vorzeitig aufgeben würden. Darauf hatte ich echt keine Lust. Torsten machte sich natürlich trotzdem an den Abstieg und rief mehrmals »Nun komm doch!« Ich zeigte ihm einen Vogel und setzte mich unter einem Baum in den Schatten. Soll er doch machen, dachte ich. Zum Glück hatte ich ein Buch dabei.

Eine Stunde später fiel Torsten plötzlich keuchend neben mir in den Sand. Sein Gesicht war rot und überhitzt, das Wasser lief ihm am ganzen Körper in Strömen herunter. »Du musst einen Arzt holen!«, keuchte er und jagte mir damit einen Riesenschreck ein. »Was ist denn los?« Ich fühlte seine heiße Stirn und hielt ihm die Wasserflasche an den Mund. »Da hat einer einen Herzinfarkt!« Er deutete aufgeregt auf den Abhang. »Der braucht einen Arzt, nicht ich!«

Ich lief los, um Hilfe zu holen. Nach 50 Metern sah ich eine Frau in Uniform, eine Angestellte des Nationalparks. Das Wort *»Heartinfarkt«* schien sie nicht zu verstehen. Ich streckte meinen Arm in Richtung Düne und sagte *»Man«* und *»Heart«* und imitierte einen Herzinfarkt. Das verstand sie! Während sie mit mir in Richtung Abhang eilte, forderte sie per *Walky Talky* einen Krankenwagen an.

Als wir bei Torsten ankamen, dachte sie, dass er der Mann mit dem Herzinfarkt sei. Kein Wunder, so wie er aussah, schwitzend und hochrot im Gesicht im Sand liegend. Sie wollte ihn am Aufstehen hindern und drückte ihn mit den beruhigenden Worten *»Help is on the way!«* zurück in den Sand. Torsten wehrte ab und einige Leute blieben stehen, um zu sehen, was da los war.

»*Man! Heart!*«, sagte ich erneut und begann, die Uniformierte weiter in Richtung Abhang zu ziehen. Zuerst war sie verwirrt, dann aber verstand sie. In einiger Entfernung konnte man schon die Sirene eines Krankenwagens hören. Torsten hatte sich aufgerappelt und war uns gefolgt. Die Leute, die zuvor schon stehen geblieben waren, ebenfalls. Torsten eilte auf einen Mann zu, der gerade mühsam die letzten Meter herauf geklettert kam. »*This man needs help*«, rief uns Torsten zu. Der Mann lachte.

»Merkwürdig«, dachte ich, »Wenn ich einen Herzinfarkt hätte, würde ich bestimmt nicht lachen.« Die Parkangestellte begann mit dem Mann zu sprechen. Er lachte wieder und schien abzuwinken. Die Frau sprach eilig in ihr *Walky Talky*, und während wir hörten, wie die näher kommende Krankenwagensirene abgewürgt wurde, wandte sie sich an uns: »*This gentleman is fine! He has heartburn, not a heart attack!*«

Was ist diesmal schiefgelaufen?

Wer einmal die 140 Meter hohe Steilküste an den *Sleeping Bear Dunes* (www.sleepingbeardunes.com) und die Leute, die sich dort in der Sommerhitze hoch quälen, gesehen hat, wäre nicht überrascht, sollte dort jemand tatsächlich einen Herzinfarkt erleiden.

Allerdings ist *heartburn*, auch wenn es sich gefährlich anhört, nichts weiter als ein starkes Sodbrennen. Darf man der amerikanischen Fernsehwerbung für die entsprechenden Medikamente glauben, ist chronisches Sodbrennen *(Acid Reflux Disease)* in den USA eine bedeutende Volkskrankheit, so wie auch Schlaf- und Potenzstörungen und ruhelose Beine *(Restless Leg Syndrome)*.

Anders als die Deutschen fürchten sich die Amerikaner allerdings nicht vor Zugluft (diese wird von ihnen komplett ignoriert), haben noch nie etwas von einem schwachen Kreislauf gehört und scheinen auch kaum jemals eine Blasenentzündung zu bekommen. Letzteres liegt wahrscheinlich daran, dass sie eine Unmenge Wasser trinken, da ihnen permanent eingetrichtert wird, dass man täglich mindestens acht Gläser davon trinken soll.

Der englische Begriff für Herzinfarkt ist übrigens *heart attack*. Die Notrufnummer in den USA lautet 911, ganz gleich ob man einen Rettungswagen, die Polizei oder die Feuerwehr rufen will. In medizinischen Notfällen wird man von den Sanitätern eines medizinischen Rettungsdienstes oder der Feuerwehr erstversorgt und dann in der Notaufnahme des Krankenhauses von einem Arzt behandelt. Mobile Notärzte und Hausbesuche sind nicht üblich.

Verwirrte Fahrradfahrer

6. August, Mackinac Island, Michigan

Susanne | Heute übernachten wir auf Mackinac Island, einer malerischen Insel im Huronsee. Von unserem Zimmer im *Grand Hotel*, dessen 200 Meter lange Hotelterrasse angeblich die längste der Welt ist, können wir die riesige Hängebrücke sehen, die den Süden und den Norden von Michigan verbindet. Morgen werden wir über diese Brücke fahren. Unseren Mietwagen mussten wir auf dem Festland lassen, denn auf Mackinac Island gibt es keine Autos, nur Pferdefuhrwerke. Um auf die Insel zu kommen, mussten wir mit einem der vielen kleinen Schiffe fahren, die zwischen Mackinaw City und der Insel hin und her rasen. Trotz der vielen Menschen an den Anlegestellen warteten wir gar nicht lange, denn es fuhr alle paar Minuten ein Schiff los. Drei Unternehmen schienen sich einen erbitterten Konkurrenzkampf um die Passagiere zu liefern.

Die Überfahrt dauerte ungefähr 20 Minuten und war sehr schön, denn der Himmel war strahlend blau. Wir kamen uns ein bisschen wie Sommerfrischler in den 1920er-Jahren vor, als wir uns der Insel näherten und wir zuerst das weiß gestrichene Hotel mit der langen Terrasse und den vielen Säulen und dann ein malerisch in einer Bucht gelegenes Städtchen entdeckten. Über den Häusern erhob sich auf einem Berg eine gigantische Festungsanlage. In der Hafengegend waren so viele Menschen zu Fuß, auf Fahrrädern und auf Pferdefuhrwerken unterwegs, dass man kaum durchkam. Die Pferde konnten einem wegen der Hitze echt leidtun, mussten sie doch jeweils zu zweit einen Wagen mit ungefähr 20 Menschen ziehen. Aber auch zum Anliefern von Waren und Müll abholen waren Pferdefuhrwerke unterwegs.

Zum Hotel gingen wir eine Allee mit großen alten Bäumen hinauf, die nicht nur wunderschön aussah, sondern uns noch authentischer in ein anderes Zeitalter versetzte. Die Kutschen vor dem Sommerhotel, die vielen Blumen, der herrliche Sonnenschein – einfach schön! Im Park vor dem Hotel fand gerade eine Trauung statt. Hier hätte ich mir unsere Hochzeit auch vorstellen können. Unser Zimmer war ebenso altmodisch ausgestattet, das passte natürlich, angesichts des Preises hätte ich aber doch etwas mehr Luxus erwartet. Wir konnten uns das Zimmer auch nur wegen des günstigen Umtauschkurses leisten ... Torsten hatte bei der Buchung noch rumgemault, von wegen Geldverschwendung und so, aber ich meinte, dass es doch schön sei, mal was Romantisches zu machen – auch wenn's ein wenig mehr kostet.

Später sind wir rauf zur Festung, die 1780 von den Engländern gebaut wurde, um die Durchgangspassage vom Huronsee zum Michigansee mit Kanonengewalt unter Kontrolle zu haben. So stand es jedenfalls auf einem Schild. Die ganze Anlage ist sehr schön hergerichtet, man kann auf den Festungsmauern herumlaufen, einige Gebäude besichtigen und Statisten beobachten, die in historischen Uniformen einen Appell oder eine Schießübung nachspielen. Für Kinder – und für Torsten – ist das natürlich was. Was mir besonders gefallen hat, war die Restaurantterrasse mit Ausblick über die kleine Stadt, auf die Bucht mit dem tiefblauen Wasser und eine Insel in der Nähe, die anscheinend völlig unbewohnt ist.

Torsten hat dann beim Essen richtig reingehauen – diesmal sogar ohne irgendwelche Missverständnisse und Peinlichkeiten. Glaube ich. Bei der anschließenden Fahrradfahrt rund um die Insel hätte sich Torsten allerdings beinahe den Hals gebrochen. Da ist er nämlich mit einem anderen Fahrradfahrer frontal zusammengestoßen.

Das war so: Wir hatten gerade erst die Fahrräder gemietet und fuhren an einer schönen Parkanlage entlang, als Torsten an einem Laden auf der anderen Straßenseite anhalten wollte, um Eis zu kaufen. Dort kam uns ein älterer Fahrradfahrer entgegen, der seinen linken Arm anhob. Torsten nahm an, dass der Mann nach links abbiegen wollte. Er bog aber nach rechts ab, die beiden kamen sich ins Gehege, Torsten geriet zwischen den anderen Fahrradfahrer und den Bordstein und fiel seitlich auf den Gehweg. Er fluchte, hörte dann aber gleich damit auf, als er merkte, dass der andere Fahrradfahrer sehr besorgt war und sich entschuldigen wollte. Zum Glück war ja auch niemand verletzt worden. Allerdings murrte Torsten während der kleinen Radtour um die Insel noch mehrmals, dass alte, verwirrte Leute nicht Rad fahren sollten.

Torsten | Stimmt! Da zeigt der an, dass er nach links fahren möchte und dann fährt er nach rechts. Damit gefährdet er sich und andere. Und Klingeln scheinen die Amerikaner auch nicht zu kennen. Unsere Fahrräder hatten jedenfalls keine. Aber Helme tragen sie hier alle. Na, die brauchen sie auch bei den Fahrkenntnissen!

Was ist diesmal schiefgelaufen?

Viele Fahrradfahrer in den USA zeigen ein geplantes Abbiegen, ob nach rechts oder links, mit dem linken Arm an: Wenn sie den Arm heben, wollen sie nach rechts, und wenn sie ihn ausstrecken, werden sie nach links abbiegen. Das kann natürlich bei Verkehrsteilnehmern, die das nicht wissen, z. B. wenn sie wie Torsten und Susanne aus einem anderen Land kommen, zu gefährlichen Missverständnissen führen. Der ältere Fahrradfahrer, mit dem Torsten zusammenstieß, war also keineswegs verwirrt, sondern zeigte sein geplantes Abbiegen in landesüblicher Manier an. Auch Moped- und Motorradfahrer benutzen diese Methode, falls die Blinker an ihren Fahrzeugen nicht funktionieren. Auch von anderen Verkehrsteilnehmern wird ein Richtungswechsel hin und wieder auf diese Weise angezeigt, z. B. wenn sie mit Pferdewagen, landwirtschaftlichen Fahrzeugen oder Baumaschinen unterwegs sind.

Die fehlenden Klingeln gleichen amerikanische Fahrradfahrer, wie schon weiter vorne beschrieben, oft durch Zurufe aus. Wenn sie z. B. von hinten an andere Fahrradfahrer oder Fußgänger herankommen, mit denen sie sich einen Rad- und Wanderweg teilen, rufen sie *»On your left!«* oder *»On your right!«*, je nachdem auf welcher Seite sie überholen wollen. Nicht jeder reagiert geistig schnell genug, deshalb sollten Sie als Fahrradfahrer auf jeden Fall vorsichtig überholen und unter Umständen auch die Fahrt verlangsamen. Höflichkeit und Rücksichtnahme werden in den USA generell großgeschrieben.

Mackinac und Mackinaw

Michigan besteht aus zwei großen Halbinseln. Die untere Halbinsel heißt *Lower Peninsula*, die obere Halbinsel, die *Upper Peninsula*, wird von den Menschen in Michigan kurz *U.P.* genannt. Die *Upper Peninsula* grenzt im Westen an Wisconsin und ist ansonsten vollständig von den Großen Seen umgeben. Die *Lower Peninsula* grenzt im Süden an Ohio und Indiana und liegt ebenfalls inmitten der *Great Lakes*. Verbunden werden die beiden Halbinseln durch die *Mackinac Bridge*, die weltweit zehntlängste Hängebrücke. Die Distanz zwischen den Ufern beträgt 8.039 Meter und die Spannweite zwischen den beiden Pylonen 1.158 Meter. Die Brücke wurde Mitte der 1950er-Jahre erbaut.

Ortsfremde wundern sich immer wieder über die unterschiedliche Schreibung von *Mackinac Bridge*, *Mackinac Island* und *Mackinaw City*. *Mackinac* ist die Schreibung, die ursprünglich von den französischen Siedlern verwendet wurde, *Mackinaw* die der englischen Siedler. So kann man an der Schreibung sehen, dass die Machtbereiche der Franzosen und Engländer an diesem strategisch wichtigen Ort Michigans direkt aufeinander trafen. Die Aussprache ist übrigens in beiden Fällen gleich: *meckinah*. Das Wort stammt aus der Sprache der *Chippewa*-Indianer und war, so wird angenommen, ursprünglich *Mish-i-nim-auk-inong*, das die ersten französischen Missionare als *Mich-i-li-macki-in-ac* aussprachen und im Laufe der Zeit auf den zweiten Wortteil verkürzten. Über die Bedeutung des Wortes streiten die Gelehrten, aber es gilt als am wahrscheinlichsten, dass es »Land der Mishinimaki« bedeutet. Die Mishinimaki waren der Stamm, der *Mackinac Island* ursprünglich bewohnt haben soll.

Wussten Sie schon, dass

- der Name des Staates Michigan aus der Sprache der amerikanischen Ureinwohner kommt? *Michigana* bedeutet »Großer See«.
- Michigan, einschließlich Detroit, bis Ende des 18. Jahrhunderts von den britischen Kolonialherren zur kanadischen Provinz Ontario gerechnet wurde?
- Michigan im Jahre 1835 nur 6.000 Einwohner hatte? Heute leben im *Great Lakes State* rund zehn Millionen Menschen.
- es in Michigan über acht Millionen Apfelbäume gibt? Die beliebtesten Apfelsorten sind *Red Delicious, Golden Delicious* und *Jonathan*.
- die Großen Seen ein Fünftel des Oberflächen-Süßwassers unseres Planeten enthalten?
- der Michigansee 494 Kilometer lang und 190 Kilometer breit ist?
- die Küste des Michigansees, inklusive Inseln, 2.633 Kilometer lang ist?

Im Paradies

7. August, Paradise, Michigan

Torsten | Heute sind wir im Paradies angekommen, genauer gesagt in dem kleinen Ort *Paradise* auf der nördlichen Halbinsel von Michigan. Michigan besteht bekanntlich aus zwei Halbinseln inmitten der großen Seen. Mark hatte uns schon am ersten Abend gezeigt, wie die Einwohner von Michigan sich gegenseitig die geografische Lage bestimmter Orte zeigen. Sie halten beide Hände hoch, die Handflächen dem Gegenüber zugewandt, die eine Hand mit den Fingerspitzen nach oben zeigend und die andere Hand etwas darüber, mit den Fingerspitzen zur Seite zeigend und die anderen Fingerspitzen fast berührend. Wenn man auf die Karte schaut, sieht Michigan vom Grundriss tatsächlich fast so aus, wie die auf diese Weise gehaltenen Hände. Die untere Hand symbolisiert die untere Halbinsel und die Hand darüber die obere Halbinsel. Auf der jeweiligen Hand deuten sie dann auf den Punkt, wo sie wohnen, zum Camping fahren oder wo ihr Wochenendhaus steht.

Die Obere Halbinsel, wo wir jetzt sind, scheint in erster Linie als Feriengebiet im Sommer zu dienen und ist im

Winter wahrscheinlich ziemlich unterbevölkert. Mark hatte gesagt, dass es hier viel Wald, Wasserfälle und Bären gibt, und hat uns die besten Stellen auf seiner Hand gezeigt. Um von der unteren auf die obere Hand zu gelangen, muss man über eine riesige Hängebrücke fahren. Sie überbrückt die acht Kilometer, die zwischen den beiden Halbinseln liegen. In beide Richtungen gibt es zwei Spuren, von denen jeweils eine aus Metallgittern besteht. Ich weiß nicht, ob irgendwas mit unseren Reifen nicht stimmte, aber als ich auf die Gitter fuhr, fühlte sich das wie Glatteis an. Ich habe mich ganz schön erschrocken und bin gleich wieder zurück auf die Asphaltspur.

Die ersten zwei, drei Kilometer der Brücke waren eine über das Wasser führende Rampe, erst dann erreichten wir den ersten der beiden riesigen Pylonen, an denen der mittlere Brückenteil mit dicken Stahlseilen aufgehängt ist. Da dort irgendwelche Bau- oder Wartungsarbeiten stattfanden, war die Asphaltspur gesperrt, was uns zurück aufs Glatteis führte. Ich verringerte automatisch die Geschwindigkeit, was es nicht nur schlimmer zu machen schien, sondern den Fahrer hinter uns sichtlich ungeduldig werden ließ. Als dieser immer dichter an uns heranfuhr und wohl nicht verstehen konnte, dass ich lieber etwas vorsichtiger fahren wollte, platzte mir der Kragen. Kurz vor Ende der Baustelle hob ich unmissverständlich meinen Mittelfinger!

Als die Baustelle zu Ende und ich wieder auf dem sicheren Asphalt war, fuhr der Drängler eine Zeit lang neben uns her und starrte mich wütend an, bevor er aufs Gaspedal trat und davonraste. So ein Idiot!

Am Ende der Brücke angekommen, sahen wir Schilder mit der Aufschrift *Stop Ahead Pay Toll* und dann *Toll Plaza*. Wir hatten keine Ahnung, was das sollte, sahen aber kurz danach kleine Häuschen neben den einzelnen Spuren. Wir fädelten uns ein und lasen auf den Schildern, dass wir nun anscheinend zwei Dollar bezahlen mussten. Warum, das konnten wir uns nicht wirklich erklären, wir hatten die Brücke im Prinzip ja schon hinter uns gelassen. Musste man etwa eine Gebühr bezahlen, wenn man auf die Obere Halbinsel wollte? Ich rollte an das Kassiererhäuschen heran und erkundigte mich danach – die Kassiererin sah mich aber nur verständnislos an und verlangte zwei Dollar. Susanne drängte mich, einfach zu bezahlen, weil sich hinter uns schon der Verkehr staute. »Na toll«, sagte ich, und reichte die beiden Scheine ins Häuschen.

Die obere Halbinsel empfing uns mit einem superblauen Himmel und einigen Federwolken. Mark hatte uns empfohlen, hinter der Brücke nach rechts zu fahren, durch die kleine Stadt St. Ignace hindurch, hin zu einem Felsen namens *Castle Rock*, von dem aus man eine schöne Aussicht hätte. Das haben wir dann auch gemacht. Wir stiegen zahllose Stufen hinauf, um auf den Gipfel zu gelangen, aber für die tolle Aussicht auf die Stelle, wo der Michigansee und der Huronsee zusammenfließen, hat sich das Treppensteigen wirklich gelohnt!

Von dort ging's nach *Paradise*, das aus einigen einfachen Häusern bestand und am Oberen See lag. »Paradies« war allerdings wirklich stark übertrieben. Das einzige Hotel im Ort war aber recht modern, und das Zimmer, das uns von der netten Rezeptionistin zugeteilt wurde, hatte einen Balkon, von dem aus wir den schönen Ausblick auf das Wasser genießen konnten. Wir beschlossen, sofort die Gegend zu erkunden und noch einige Meilen weiter nach Norden zu fahren. Dort gab es einen Leuchtturm, ein Museum und einen breiten Sandstrand, der unser eigentliches Ziel war – Susanne wollte unbedingt mit den Füßen ins Wasser. Gerade angekommen, stürmte sie aus dem Auto, rannte zum Wasser und zuckte erschrocken zusammen, als ihre nackten Füße das anscheinend eiskalte Wasser berührten. Wohl auch deshalb war der Strand erstaunlich schlecht besucht ...

Nach dieser ungewollten Abkühlung fuhren wir noch zu Wasserfällen mit dem schwer auszusprechenden Namen *Tahquamenon Falls*, die Mark uns ebenfalls empfohlen hatte – und deren Besuch sich auch gelohnt hat! Ein richtiger Wasserfall ist eigentlich nur der *Upper Falls*, der mitten im Wald liegt und dessen Wasser braun gefärbt ist. Ansonsten sieht er aus wie eine kleinere Version der Niagarafälle, so richtig breit, hoch und mit Unmengen Wasser, die herunterfließen. Man kann von hoch oben im Wald schauen und auch eine Treppe zu einer hölzernen Aussichtsplattform hinuntergehen, die direkt am Wasserfall liegt. Die *Lower Falls* sind eigentlich mehr oder weniger Stromschnellen, die beidseitig an einer bewaldeten Insel vorbeifließen. Um dorthin zu gelangen, konnte man Ruderboote ausleihen – das haben wir natürlich auch gemacht, ebenso wie eine kurze Wanderung auf der Insel.

Auf dem Weg zurück ins Hotel ist uns fast noch ein Reh ins Auto gelaufen, zusätzlich wären wir mit dem Idioten, der aus der anderen Richtung kam und dem Reh ausweichen wollte, beinahe zusammengestoßen. Grandios, die Amerikaner im Straßenverkehr!

Was ist diesmal schiefgelaufen?

Zunächst einmal sollte man obszöne Gesten beim Autofahren und auch sonst unterlassen. Man kann nie wissen, an wen man gerät und ob diese Person möglicherweise eine Waffe mit sich führt. Das gilt insbesondere für den allbekannten Stinkefinger.

Das Befahren der *Mackinac Bridge* ist gebührenpflichtig, da die Instandhaltung der riesigen Brücke sehr teuer ist. Statt die Steuerzahler damit zu belasten, werden die Kosten von den unmittelbaren Nutznießern dieser Brücke getragen. Bevor die Brücke gebaut wurde, war man nämlich auf Fähren angewiesen. In der Hochsaison musste man manchmal bis zu 24 Stunden auf eine Überfahrt warten. Im Winter wurde der Fährbetrieb oft wegen Eises eingestellt. Die Gebühren für den jetzigen Brückenkomfort werden für beide Richtungen nur an der Nordseite der Brücke abkassiert. Wer von Süden kommt, bezahlt daher erst nach dem Überfahren. Es handelt sich also nicht um ein Eintrittsgeld für die Obere Halbinsel, wie Torsten kurz spekuliert hatte.

Aber nicht nur an manchen Brücken werden derartige Gebühren erhoben, sondern auch für das Befahren von sogenannten *toll roads*. Das sind privat finanzierte Autobahnen, die an verschiedenen Stellen ein Entgelt *(toll)* verlangen. Dies kann an der Auffahrt, beim Verlassen oder auch mittendrin der Fall sein. An vielen *toll roads* nimmt man anfangs einen Ausdruck und bezahlt erst, wenn man ausfährt. Neben Kassierern gibt es meistens auch automatische Kassen, an denen man passendes Kleingeld einwirft.

Beim Herausfahren aus der Kassenzone ist besondere Vorsicht geboten. Da herrscht oft völliges Chaos, denn es gibt nicht selten um die zehn Kassen, aus denen die Autos wie Rennpferde aus ihren Starterboxen herausgeschossen kommen und sich in kürzester Zeit auf zwei bis drei Spuren einordnen müssen. Schauen Sie aufmerksam nach links und rechts, ob Autos in die gleiche Spur wie Sie wollen. Verlassen Sie sich nicht auf Ihre Spiegel, da sich gerade hier Autos im toten Winkel befinden können.

Unfallgefahr durch Rehe

In Sachen Wildwechsel sollte man natürlich auch aufmerksam sein und insbesondere in der Morgen- und Abenddämmerung auf Rehe achten, wenn man durch Wälder oder Felder hindurchfährt. Immerhin gibt es in den USA jedes Jahr circa 1,5 Millionen Unfälle mit Rehen, bei denen rund 200 Menschen ums Leben kommen. Die meisten Autofahrer sterben, wenn sie versuchen, den Rehen auszuweichen, dann die Kontrolle über ihre Fahrzeuge verlieren und mit entgegenkommenden Autos kollidieren bzw. von der Fahrbahn abkommen und sich überschlagen. Ein direkter Zusammenstoß mit einem Reh ist dagegen in der Regel weit weniger folgenschwer, zumindest für die beteiligten Menschen. Michigan ist einer jener Staaten, in denen es besonders viele Unfälle mit Rehen gibt.

Der »Krieg« zwischen Michigan und Ohio

An dieser Stelle ein kurzer Ausflug in die amerikanische Geschichte, der erklärt, warum Michigan aus zwei Halbinseln besteht: 1787 wurde die Südgrenze von Michigan, das damals noch kein Staat, sondern ein sogenanntes *Territory* war, vom Südufer des *Lake Michigan* bis zum Südufer des *Lake Erie* gezogen. Allerdings war die verwendete

Karte ungenau und entfachte einen Streit zwischen Michigan und Ohio, wem das Land zwischen der Mündung des Flusses *Maumee* in den *Lake Erie* und dem Gebiet der heutigen Stadt Toledo gehört.

1833 beantragte Michigan, den Status eines Staates zu erhalten. (Ohio war bereits seit 1803 ein US-Bundesstaat.) Der Streit um das erwähnte Land brach nun offen aus. 1835 versuchte Michigan, mit Ohio zu verhandeln. Der Gouverneur von Ohio, Robert Lucas, lehnte jedoch jeden Kompromiss ab, denn Ohio wollte sich den Zugang zum *Lake Erie* sichern. Stevens T. Mason, der von Präsident Andrew Jackson im Alter von 19 Jahren zum Gouverneur von Michigan ernannt wurde, reagierte mit der Entsendung der Bürgerwehr in den als *Toledo Strip* bekannten Landstreifen.

Im April 1835 sah nun alles nach einer Schlacht zwischen den Bürgerwehren von Michigan und Ohio aus. Jedoch irrten beide »Armeen« eine Woche lang durch die Sümpfe im Norden Ohios, ohne einander zu finden. Die Schlacht fiel aus. Das einzige Blut wurde vergossen, als die Bürgerwehr von Michigan Benjamin Franklin Stickney, Major der Ohio-Truppen, verhaftete und an sein Pferd gebunden in Richtung Gefängnis in Michigan transportierte. Verärgert über die beleidigende Behandlung seines Vaters stach Major Stickneys Sohn, dessen Name *Two* war (sein Bruder hieß *One*), Sheriff Joseph Wood mit dem Bajonett in die Hüfte.

Obwohl Michigan mit dem Anspruch auf das Land im Recht war, unterstützte Präsident Jackson jedoch Ohio, um die Stimmen der dortigen Wähler zu bekommen. 1837 wurde Michigan dann unter der Bedingung des Verzichts auf den *Toledo Strip* zum Bundesstaat erklärt. Als Entschädigung erhielt Michigan den Westteil der *Upper Peninsula*, Michigans Oberer Halbinsel. Obwohl es damals nicht so aussah, wissen die Einwohner von Michigan heute ganz eindeutig, dass sie durch den Zuspruch des schönen und vor allem rohstoffreichen Gebietes im Norden die eigentlichen Gewinner im sogenannten *Toledo War* waren.

Bären und Bullen

8. August, Frankenmuth, Michigan

Torsten | Im Hotel in Paradise wurden wir durch ein kleines Faltblatt auf *Oswald's Bear Ranch* aufmerksam. Hierbei handelte es sich um ein großes Wildgehege für Schwarzbären. Da wir Bären bisher nur aus dem Zoo kannten, wollten wir da auf unserer Fahrt zurück in Richtung Süden unbedingt mal vorbeischauen. Die *Bear Ranch* lag zwar nicht auf dem direkten Weg, den kleinen Umweg nahmen wir aber gerne in Kauf. Die Fahrt führte uns durch eine stark bewaldete Gegend, in der es so gut wie keine anderen Verkehrsteilnehmer gab. Wir fanden einen guten Musiksender, lehnten uns in unseren Sitzen zurück und genossen die entspannte Fahrt durch die Einsamkeit.

Als wir gemütlich in eine kleine Ortschaft hinein brausten, sah ich am Straßenrand ein Polizeiauto in entgegengesetzter Fahrtrichtung stehen. Als wir daran vorbeikamen, setzte es sich gleich in Bewegung, drehte mitten auf der Straße um und folgte uns mit angestelltem Blaulicht. Da ich nicht gleich anhielt, ließ der Polizist kurz die Sirene aufheulen. Ich fuhr also rechts ran und packte die Hände aufs Lenkrad, wie sich's gehört. Susanne stöhnte nur: »Nicht schon wieder!« Der Freund und Helfer kam, verlangte meine Papiere, ging zurück zu seinem Wagen und kehrte nach ein paar Minuten mit dem Strafzettel zurück: 85 Dollar, weil wir 15 Meilen pro Stunde zu schnell gefahren waren. In Gedanken begann ich, alle unsere Strafzettel zusammenzurechnen ...

Als ich nach hinten griff und meine Jacke mit der Brieftasche darin vom Rücksitz nehmen wollte, deutete er auf die Weinflasche, die darunter lag, und sagte irgendwas von *open container*. Ohne Warnung öffnete er daraufhin einfach die Tür und griff nach der Flasche. Konnte der uns denn einfach unseren Wein wegnehmen? Man hatte ja schon so einiges von der amerikanischen Polizei gehört, ich wollte trotzdem nicht alles mit mir machen lassen – und zumindest eine Erklärung haben. Meinen zum gleichen Zeitpunkt gefassten Entschluss, für diese Unterhaltung aus dem Auto auszusteigen, bereute ich aber sogleich.

Als ich nämlich halbwegs aus dem Auto raus war, griff der Bulle meinen Arm und drückte mich brutal gegen den Wagen. Ich spürte etwas Kaltes an meinem Handgelenk, dann riss er auch meinen anderen Arm nach hinten. Als ich an dem anderen Handgelenk ebenfalls kaltes Metall spürte, wurde mir schlagartig klar: Der Typ hatte mir doch tatsächlich Handschellen angelegt! Das konnte doch wohl nicht wahr sein! Der Polizist redete auf mich ein – ich hatte keine Ahnung, was er von mir wollte. Las er mir etwa meine Rechte vor, so wie im Film? Ich überlegte blitzschnell, was das alles zu bedeuten hatte. Der Bulle schrie Susanne an, die auch aussteigen wollte. Sie blieb sitzen und ich sah Tränen in ihren vor Schrecken weit aufgerissenen Augen.

Der Polizist führte mich zu seinem Wagen, und ich musste mich auf den Rücksitz kauern. Beim Einsteigen drückte er meinen Kopf unsanft herunter. Er nahm auf dem Fahrersitz Platz und sprach mit jemandem über Funk. Das Ganze war irgendwie total unwirklich, und ich fragte mich ernsthaft, ob ich nicht einen Albtraum hatte. Aber nein, ich saß wirklich mit Handschellen gefesselt auf der Rückbank eines amerikanischen Polizeiautos. Keine zwei Minuten später hielt hinter uns ein anderer Streifenwagen, ebenfalls mit angestellten Warnlichtern.

Ja, was war denn nun los? Meinten die etwa, dass ihnen gerade ein lang gesuchter Schwerverbrecher ins Netz gegangen war? Der zweite Polizist musterte mich, wechselte ein paar Worte mit seinem Kollegen und nahm mir dann die Handschellen wieder ab. Ich rieb mir die Handgelenke, meine Schulter tat auch weh. Als ich in ein Alkoholtestgerät blies und der Test negativ ausfiel, schienen die beiden Bullen enttäuscht. Trotzdem schrieben sie mir einen weiteren Strafzettel aus. 100 Dollar wegen der Flasche im Auto, obwohl ich nichts getrunken hatte! Das ist doch der helle Wahnsinn, dass man für eine Flasche Wein auf dem Rücksitz derart behandelt und bestraft wird. Was sind denn das hier für merkwürdige Gesetze? Nachdem ich bezahlt hatte, ließen sie mich gehen. In der nächsten Ortschaft hielten wir bei einem Restaurant an – und ich trank zur Beruhigung und zum Trotz erst einmal ein großes Bier. Aus Sicherheitsgründen fuhr dann aber natürlich Susanne weiter.

Dieses Erlebnis hatte uns den Tag und den Besuch der *Bear Ranch* so richtig vermiest. Trotzdem war es recht interessant, die Bären in ihrer natürlichen Umgebung zu sehen. Man konnte im Wald einen Zaun entlang wandern, hinter dem hin und wieder zwei, drei Bären aus den Büschen geprescht kamen und schnell wieder verschwanden. Ehrlich gesagt möchte ich so einem Vieh nicht im Wald begegnen. Unsere Wildschweine sind Kuscheltiere im Vergleich zu denen.

Susanne | So hatte ich mir unseren Urlaub nicht vorgestellt. So ein Theater wegen einer Flasche Wein, die zudem fast leer war. Aber Torsten will ja nie etwas verschwenden und bestand darauf, die Flasche mitzunehmen. Dass er dann aus dem Auto ausstieg, war natürlich wirklich dämlich, zumal er doch angeblich so gut Bescheid weiß, wie man sich verhalten soll, wenn man von der amerikanischen Polizei angehalten wird. Aber das mit den Handschellen war doch nun wirklich total übertrieben. Was wäre denn geschehen, wenn Torsten verhaftet worden wäre? Kaum zu glauben, dass die so mit Touristen umgehen. Ich bin wirklich froh, dass wir nicht in so einem Polizeistaat leben.

Jetzt sind wir in Frankenmuth, einer kleinen Stadt in der Mitte von Michigan angekommen, wo wir heute übernachten und morgen erst einmal so richtig ausschlafen werden. Frankenmuth ist übrigens im bayerischen Stil herausgeputzt – und unser Hotel heißt *Bavarian Inn* und sieht aus wie ein überdimensionaler Alpengasthof, allerdings mitten im Flachland.

Was ist diesmal schiefgelaufen?

Polizisten, die es auf Geschwindigkeitssünder abgesehen haben, parken ihre Autos oft so, dass sie als Polizeiautos nur schlecht erkennbar sind, z. B. entgegen der Fahrtrichtung, etwas versteckt am Straßenrand oder auf dem Mittelstreifen von Autobahnen. Oft sieht man sie dann zu spät und hat keine Zeit mehr zum Bremsen. Die örtlichen Polizeiabteilungen wissen genau, welche Stellen im Gelände sich zu diesem Zweck optisch am besten ausnutzen lassen. Besondere Vorsicht ist auch beim Einfahren in kleine Ortschaften geboten, da sich das Geschwindigkeitslimit dort oft drastisch und abrupt verringert.

Einheimische Autofahrer kennen diese Geschwindigkeitsfallen. Durchreisende Autofahrer handeln sich deshalb am ehesten Strafzettel ein. Passen Sie auch auf, wenn Sie auf einer Autobahn über eine Anhöhe fahren, da die Polizei oft dahinter wartet. Besonders nachts halten die Polizisten mit Vorliebe Verkehrssünder aller Art an, um sich die meist langweiligen Stunden etwas interessanter zu gestalten. Zudem sind die Strafgebühren eine wichtige Einnahmequelle der örtlichen Polizeiabteilungen. Es wird also von den Polizisten erwartet, dass sie eine mehr oder weniger bestimmte Anzahl an Verkehrssündern stellen. An einigen Orten scheint die Polizei besonders am Monatsende sehr aktiv zu sein, möglicherweise, weil die Einnahmequote noch nicht erfüllt wurde. Das wird von der Polizei natürlich bestritten, aber ihr Verhalten lässt oft nur diese Schlussfolgerung zu.

Erschwerend für durchreisende Autofahrer kommt hinzu, dass die Polizeiautos überall anders aussehen und man daher nie so richtig weiß, wonach man eigentlich Ausschau halten soll. Mal sind die Polizeifahrzeuge schwarz, mal sind sie weiß. Einige haben Lichter auf dem Dach, andere nicht. Die meisten Polizeiabteilungen haben PKW, manche aber auch Geländewagen. In der Regel ist natürlich in großen Buchstaben die Aufschrift *Police* an beiden Seiten des Polizeiautos angebracht, allerdings ist das nur schwer oder gar nicht zu sehen, wenn das Fahrzeug in Fahrtrichtung am Straßenrand steht.

Bitte beachten Sie auch, dass fast alle Bundesstaaten das Mitführen von geöffneten Alkoholbehältern *(open containers)* im Auto unter Strafe gestellt haben. Man muss also nicht beim Trinken erwischt werden, das bloße Vorhandensein einer geöffneten Flasche oder Dose im Fahrgastraum ist bereits strafbar. Deshalb sollte man z. B. geöffnete Weinflaschen grundsätzlich nur im Kofferraum transportieren.

Mississippi ist übrigens der einzige Bundesstaat, der Fahrzeugführern das Trinken im Auto erlaubt. Lediglich acht Staaten (Arkansas, Connecticut, Delaware, Mississippi, Missouri, Tennessee, Virginia und West Virginia) erlauben Passagieren, während der Fahrt Alkohol zu konsumieren. Hier kann es jedoch auf lokaler Ebene Verbote geben. Man ist also grundsätzlich gut beraten, in den ganzen USA im Auto nicht zu trinken und geöffnete Behälter mit Alkohol jeglicher Art im Kofferraum zu verstauen.

Die Alkoholgrenze für Fahrzeugführer ist ebenfalls überall unterschiedlich festgelegt, aber in der Regel extrem niedrig. Es ist daher ratsam, vor dem Fahren überhaupt nicht zu trinken. Amerikaner wissen: Wer betrunken Auto fährt, wird in der Regel vorübergehend verhaftet und kann sich auf ein teures Gerichtsverfahren, hohe Geldstrafen und den Entzug des Führerscheins gefasst machen. Viele Leute bestimmen deshalb vor dem Besuch eines Restaurants oder einer Party, wer von ihnen als *designated driver* fungieren wird, also die anderen anschließend nach Hause fährt.

Wer von der Polizei angehalten wird, sollte auf keinen Fall unaufgefordert aussteigen. Da der Polizist nicht weiß, was Sie vorhaben, wird er in der Regel zur eigenen Sicherheit drakonisch reagieren, das heißt, er wird die Waffe ziehen oder Ihnen Handschellen anlegen. Ruhe und Besonnenheit ist also oberstes Gebot. Lassen Sie, wie schon gesagt, die Hände am Lenkrad, bis der Polizist Sie auffordert, Ihre Papiere auszuhändigen. Der Beifahrer sollte die Hände ruhig im Schoß liegen lassen und auf keinen Fall nach dem Handschuhfach, unter den Sitz oder in eine Tasche greifen. Sollte es mehr als zwei Insassen im Auto geben, wird der Polizist in der Regel Verstärkung anfordern, die dann die anderen Passagiere im Auge behält. Es kann also sein, dass ein Polizeiauto einige Minuten hinter Ihnen stehen wird, ohne dass der Polizist aussteigt. In diesem Fall hilft nur: abwarten.

Unangemessene Polizeibrutalität muss man übrigens nicht befürchten, da im Fahrzeug des Polizisten eine Kamera mitläuft, deren Aufnahmen vor Gericht als Beweismittel verwendet werden können. Wenn Torsten sich darüber beschwert, dass der Polizist seinen Kopf beim Einsteigen ins

Polizeiauto unsanft heruntergedrückt hat, dann hat dieser das nur gemacht, damit Torsten sich nicht den Kopf am Türrahmen stößt.

Polizei in den USA

Die Bundespolizei der Vereinigten Staaten ist das *Federal Bureau of Investigation (FBI)*. Das *FBI* befasst sich mit Verbrechen wie Spionage, Terrorismus, Drogenhandel sowie Gewalt- und Wirtschaftsverbrechen. Das *FBI* ist eine Kombination aus Polizei und Nachrichtendienst. Die Dienstwagen des *FBI* sind nicht als solche zu erkennen.

Jeder US-Bundesstaat unterhält eine Polizeitruppe, die hauptsächlich für die Ordnung auf den Autobahnen und für die Sicherheit der Regierung des jeweiligen Staates zuständig ist. Deren Polizeiautos sind in den meisten Staaten entweder durch die Aufschrift *State Police* oder *Highway Patrol* gekennzeichnet.

Fast jeder Verwaltungsbezirk *(county)* innerhalb der Bundesstaaten hat eine Polizei, die sich meistens um jene ländlichen Gegenden kümmert, die keine eigenen Polizisten haben. Außerdem werden örtliche Polizeiabteilungen unterstützt, insbesondere auf jenen Straßen, die von dem jeweiligen Verwaltungsbezirk unterhalten werden. Der Leiter dieser *County Police* ist in der Regel ein von der Bevölkerung gewählter Sheriff. Vielerorts steht auf allen Streifenwagen dieser Polizei das Wort *Sheriff*, ganz gleich ob der Sheriff am Steuer sitzt oder nicht.

Städte und größere Dörfer haben ihre eigenen Polizeiabteilungen. Auf den Streifenwagen steht das Wort *Police* und der Name der Stadt bzw. Gemeinde. Das *New York City Police Department (NYPD)* ist mit rund 40.000 Polizisten die größte lokale Polizei in den USA.

Viele Universitäten in den USA unterhalten ebenfalls Polizeikräfte, die sogenannte *Campus Police*, welche für die öffentliche Sicherheit auf den oft riesigen Uni-Geländen zuständig sind. Die Uni-Polizisten haben die gleichen Polizeischulen wie die Polizisten der Städte und Landkreise besucht, sind ebenfalls bewaffnet und fahren mit Streifenwagen umher, die sich kaum von den Fahrzeugen ihrer Kollegen unterscheiden, außer dass sie neben der Aufschrift *Police* oder *Public Safety* auch den Namen der Uni anzeigen und oft eine andere Farbe haben.

Hähnchenfest

9. August, Ann Arbor, Michigan

Torsten | Heute Nachmittag waren wir bei einem großen Hähnchenessen. Das Ganze nannte sich *Chicken Broil* und fand in einer kleinen Stadt namens Manchester in der Nähe von Ann Arbor statt. Auf einem Sportplatz wurden dort, so informierte uns ein Schild, 14.000 halbe Hähnchen geröstet. Zu diesem Zweck hatte man Betonblöcke in langen Reihen hüfthoch aufgestapelt und Gitter darauf gelegt, auf denen die Hühnchen aufgespießt waren und die hin und wieder gewendet wurden. Darunter befand sich glühende Holzkohle, die den gesamten Platz ordentlich einqualmte. Die Männer, die mit dem Braten der Hühnchen beschäftigt waren, schwitzten wie verrückt.

Die Schlange am Eingang, wo wir pro Person neun Dollar zahlen mussten, war zwar lang, trotzdem ging es erstaunlich schnell voran. Der Kassierer war überaus freundlich und fragte uns, wo wir herkämen. Er war begeistert, dass wir aus Deutschland waren – und hatte natürlich auch wieder deutsche Vorfahren. Wir kauften uns jeder noch ein gelbes T-Shirt mit der Aufschrift *57th Manchester Chicken*

Broil – das Broilerfest hatte also eine lange Tradition – und los ging's.

Wir mussten uns sogleich in eine weitere Schlange stellen, um unser Essen zu bekommen, das aus einem halben Hähnchen, einer Art Brötchen sowie Krautsalat und einer kleinen Tüte mit Kartoffelchips bestand. Auf meine Frage, wo das Bier sei, antwortete Mark, dass es hier keines gäbe. Ich glaubte, dass er mich nur veräppeln wollte, zumal es eine Kapelle gab, die Lederhosen trug und deutsche Volksmusik spielte. Ich flitzte also los, um das Bierzelt zu finden, Susanne rief mir irgendwas hinterher. Ich lief gute zehn Minuten herum, ohne jemanden mit einem Bier zu sehen. Das gibt's doch nicht! Ein Volksfest ohne Bier? Diese Amis ...

Was ist diesmal schiefgelaufen?

Bei vielen Veranstaltungen in den USA, die familienfreundlich *(family friendly)* sind, bei denen also Kinder jeden Alters willkommen sind, gibt es keinen Alkohol zu kaufen. Man will so nicht nur verhindern, dass Minderjährige in Kontakt mit Alkohol kommen, sondern auch, dass es dort Betrunkene gibt. Auch am Strand oder in Parkanlagen ist das Trinken von Alkohol normalerweise verboten und wird mit erheblichen Strafgeldern geahndet.

Bei Veranstaltungen, wo Alkohol verkauft wird, muss man beim Betreten seine Fahrerlaubnis oder seinen Reisepass zeigen. Wenn man nachweislich alt genug zum Trinken ist, bekommt man einen Papierstreifen ans Handgelenk geklebt, ohne den man keinen Alkohol kaufen kann. Dieses Verfahren wird z. B. auch bei fast allen Rockkonzerten angewendet.

Zu Besuch bei Thomas Mann

10. August, Ann Arbor, Michigan

Susanne | Heute Vormittag beschlossen wir, Thomas H. Mann zu besuchen. Das war der nette Herr aus dem Zug von Chicago nach Ann Arbor, der so viel über deutsche Einwanderer in den USA wusste. Er wohnte ganz in der Nähe von Sarah und Mark, sodass wir zu Fuß gehen konnten. Überall waren Leute beim Rasenmähen und grüßten uns freundlich. Einmal mussten wir einem Rasensprenger ausweichen, der nicht nur den Vorgarten, sondern auch den Gehweg beregnete. Das Sonnenlicht verfing sich in dem Wasserstrahl, sodass in ihm alle Regenbogenfarben zu sehen waren. Irgendwie schien die Zeit stillzustehen. Ich muss schon sagen: Das Leben hier ist wirklich idyllisch. Hier würde es mir auch gefallen.

Thomas Mann saß in einer Blumenrabatte und war beim Unkrautzupfen. Er sah ziemlich überrascht aus, als wir ihn ansprachen. Es dauerte einen Moment, bis ihm klar wurde, wer wir waren, aber dann freute er sich, uns zu sehen. Er bat uns ins Haus und entschuldigte sich für seinen Aufzug. Hätte er gewusst, dass wir vorbeikommen, dann würde er nicht in so alten Sachen rumlaufen und hätte auch Kaffee und Kuchen besorgt. Er goss kaltes Leitungswasser für uns in überdimensionierte Gläser. Ein riesiger Kater marschierte in diesem Moment in die Küche und rieb sich schnurrend an meinen Beinen.

»Das ist Tonio«, sagte Thomas Mann und ich spuckte vor Lachen das Wasser aus, das ich gerade im Mund hatte. Torsten sah mich entsetzt an und wischte sich die halbe Ladung Wasser, die auf seiner Hose gelandet war, vom Bein. Thomas Mann lachte auch und sagte: »Aha, Sie kennen sich also in der Literatur aus!« Ich nickte. »Tonio Kröger« gehört zu meinen Lieblingsbüchern.

»Wissen Sie«, sprach er weiter, »wenn Ihr Name ›Thomas Mann‹ ist, bleibt Ihnen nichts weiter übrig, als das Ganze mit Humor zu sehen.« Er trank einen Schluck Wasser. »Das H. steht übrigens nicht für Heinrich.« Er schien meinen Gedanken erraten zu haben. »Meine Eltern haben mich auch nicht nach dem Schriftsteller benannt. Das ist reiner Zufall. Mein Vater hieß auch Thomas. Das H. kommt von Herbert, das war mein Großvater.«

Er erzählte uns dann noch, dass er von dem berühmten Namensvetter erst erfuhr, als er einmal an einem Buchladen vorbeiging und plötzlich im Schaufenster seinen Namen sah. Er las daraufhin alle Bücher von Thomas Mann, später auch von Heinrich Mann, der ihm eigentlich besser gefiel, studierte Literatur und Deutsch und wurde Lehrer an einer *High School* hier in Ann Arbor, wo er fast 40 Jahre lang unterrichtet hatte. Nebenher beschäftigte er sich intensiv mit der Geschichte der deutschen Einwanderer in Ann Arbor, in Michigan und in Nordamerika insgesamt. Er zeigte uns viele alte Fotos von seiner Familie und auch von Ann Arbor, insbesondere von der Nachbarschaft, in der wir uns gerade befanden. Auf dem Rückweg stellte ich mir das Leben hier vor 100 Jahren vor, wie alle Deutsch sprachen, weit weg von der alten Heimat. Die Menschen hier waren glücklich, da hatte ich keinen Zweifel.

Was ist diesmal schiefgelaufen?

In den USA ist es nicht üblich, bei Leuten unangemeldet vorbeizuschauen. Man sollte auf jeden Fall vorher anrufen. Bei Leuten, mit denen man nicht eng befreundet ist, ist es sogar ratsam, am Tag zuvor Bescheid zu sagen.

Obwohl das in diesem Fall wohl nicht zutrifft, sei auch zu erwähnen, dass Einladungen, wenn sie das erste Mal und eher beiläufig ausgesprochen werden, oft nicht ernst gemeint sind. Wenn Sie also jemanden gerade kennengelernt haben, z. B. bei einem Barbecue, dann können Sie davon ausgehen, dass ein »*Come and visit me!*« keine konkrete Einladung ist. Sie sollten erst einen Besuch erwägen, wenn Sie wiederholt bzw. besonders nachdrücklich oder aus einem speziellen Anlass, z. B. zu einer Party oder zum Grillen, eingeladen wurden.

Selbst wenn ein bestimmter Tag vereinbart wurde, sollten Sie am Tag zuvor noch einmal anrufen und fragen, ob Sie etwas mitbringen können. Es versteht sich zwar von selbst, dass Sie eine Flasche Wein, eine Schachtel Kekse oder dergleichen dabei haben, aber der Zweck dieses Anrufs besteht eigentlich darin, Ihren Besuch zu bestätigen und möglicherweise den Angerufenen an den geplanten Besuch zu erinnern. Entweder wird man dann antworten, dass Sie nichts mitbringen brauchen (in diesem Fall sollten Sie trotzdem eine Flasche Wein oder etwas Ähnliches dabei haben) oder man wird Ihnen vielleicht vorschlagen, etwas für den Grill oder zum Nachtisch zu besorgen.

Tornado-Alarm

11. August, Ann Arbor, Michigan

Torsten | Heute Nachmittag zog am Himmel ein gewaltiges Unwetter auf. Solche Wolken habe ich in meinem Leben noch nicht gesehen! Während bei uns noch blauer Himmel war, schob sich am Horizont diese schwarze Masse heran. Das Ganze hatte was von Weltuntergangsstimmung. Inmitten der Wolken konnte man Blitze sehen, während das Grollen des Gewitters stetig lauter wurde. Der Himmel färbte sich zunehmend grün und in der Ferne waren Sirenen zu hören.

Sarah sagte etwas von »Tornado-Wetter« und schaltete den Fernseher an: Dort war eine Wetterkarte zu sehen, über die allerlei Unwetter zu ziehen schienen, unten auf dem Bildschirm stand *Tornado Watch*. Dann verschwand die Wetterkarte, der Fernseher machte ein Geräusch wie ein Computer-Modem Mitte der 1990er-Jahre und auf dem Bildschirm stand in großen weißen Buchstaben auf rotem Hintergrund *Tornado Warning*. Das merkwürdige Geräusch verstummte nach ein paar Sekunden und eine Frauenstimme sagte, wenn ich es richtig verstanden habe, dass der nationale Wetterdienst eine Tornado-Warnung ausgesprochen hatte und dass wir uns in Sicherheit bringen sollten.

Mittlerweile war draußen die Wolkenmasse dichter herangekommen. Der Himmel sah einfach genial aus. Ich schnappte mir den Fotoapparat und rannte auf die Veranda. »Komm wieder rein!«, rief Sarah, »Wir müssen in den Keller!« Das fand ich etwas übertrieben und schoss schnell ein paar Fotos. Plötzlich wurde es ganz windstill. In die Ruhe hinein dröhnte eine Sirene, die sich wohl in unserer Nachbarschaft befand. »Komm jetzt sofort in den Keller!«, befahl Sarah, und Susanne kam raus und zog mich am Arm. »Hast du nicht gehört?«

Ich fühlte etwas Kaltes, Stechendes in meinem Nacken. Und gleich noch mal. Es hagelte Eisstücke! Wir liefen ins Haus. »Los, kommt endlich«, drängte Sarah und wollte wieder in den Keller. »Können wir nicht einfach hier bleiben und das Spektakel beobachten?«, fragte ich und wollte mich aufs Sofa setzen. »Nein, wir müssen in den Keller! Nur dort sind wir sicher!«

Draußen war es dunkel geworden, es blitzte und donnerte so laut, wie ich es noch nie gehört hatte. Der Hagel war durch einen gewaltigen Regen abgelöst worden, der jetzt gegen die Verandatür peitschte. Max kauerte sich an mich, der arme Hund zitterte am ganzen Körper. War wohl doch besser, auf Sarah zu hören ...

Im Keller schalteten wir den dortigen Fernseher an, auf dem jetzt wieder die Wetterkarte zu sehen war. Zehn Meilen südlich von uns, nahe einer kleinen Stadt namens Saline war ein Tornado gesichtet worden. Er zog in östliche Richtung.

»Da haben wir aber Glück gehabt!« Sarah schien erleichtert. Und tatsächlich: Zehn Minuten später war auch bei uns das Gewitter vorbei und wir gingen zurück auf die Veranda. Im Garten lagen jede Menge Äste, die der Wind von den Bäumen abgerissen hatte. Am Abend sahen wir dann in den Lokalnachrichten, dass der Tornado in Saline mehrere Häuser zerstört hatte und dass eine Person dabei ums Leben gekommen war. In der ganzen Gegend waren auch zahllose Bäume entwurzelt worden, die teilweise auf Häuser und auf Autos gefallen waren und riesigen Schaden angerichtet hatten.

Außerdem waren zehntausende Haushalte im Großraum Detroit ohne Strom, da der Wind die Leitungen von den Strommasten gerissen hatte. Im Fernsehen wurde ein brennendes Kabel gezeigt, das mitten auf einer Straße gelandet war. Das kommt davon, wenn die Stromleitungen hier alle noch in der Luft hängen, wie bei uns vor 50 Jahren! Die Leute ohne Strom jammerten im Fernsehen, dass ihre Klimaanlagen nicht liefen. Einige fanden jedoch Zuflucht im Wohnzimmer eines Mannes, der eigens für diese Fälle ein Notstromaggregat hatte. Mark, der mittlerweile von der Arbeit nach Hause gekommen war, meinte, dass diese Stromausfälle keine Seltenheit sind und dass es einfach zu teuer ist, alle Leitungen unter die Erde zu legen.

Was ist diesmal schiefgelaufen?

Tornados sind eine in Europa vergleichsweise selten auftretende Unwettererscheinung, sodass Torsten sich anscheinend nicht über den Ernst der Situation im Klaren war. In den USA kosten diese gewaltigen Windhosen jedoch jedes Jahr Dutzende Menschenleben und verursachen große Sachschäden. Die Amerikaner unterschätzen diese todbringende Gefahr daher in keiner Weise und wissen, wie man sich richtig verhält. Als Gast sollte man ihren Anweisungen unbedingt folgen, auch wenn man die Vorsichtsmaßnahmen möglicherweise für übertrieben hält.

Obwohl Tornados in den gesamten USA auftreten können, werden der Mittlere Westen, zu dem Michigan gehört, und der Süden des Landes am häufigsten von diesen besonders tückischen Stürmen heimgesucht.

Tornados treten meistens bei gewittrigem Wetter auf. Wenn die meteorologischen Bedingungen entsprechend sind, löst sich eine Windhose vom Himmel, zieht mehrere Kilometer weit übers Land und zerstört oft alles in ihrer Bahn. Die meisten Tornados sind einige 100 Meter im

Durchmesser und bewegen sich mit etwa 100 Kilometern pro Stunde fort. Der Durchmesser eines Tornados kann aber sogar mehr als zwei Kilometer betragen, und seine Geschwindigkeit kann die eines Schnellzuges annehmen. Die Windhose selbst wirbelt außerdem mit einer viel größeren Geschwindigkeit (und Zerstörungskraft) um die eigene Achse. Oft treten in einer Region mehrere Tornados gleichzeitig auf.

Warnung vor Tornados

Sobald in einer Gegend die Gefahr von Tornados besteht, spielt der *National Weather Service* auf allen lokalen Radio- und Fernsehsendern Warnungen ein und lässt, soweit vorhanden, die örtlichen Sirenen aufheulen. Bei den Warnungen unterscheidet man zwischen zwei Stufen: *Tornado Watch* und *Tornado Warning*.

Bei einer *Tornado Watch* ist das Auftreten eines Tornados sehr wahrscheinlich. Es wird empfohlen, sich an einen sicheren Ort zu begeben und aufmerksam den Ansagen im Fernsehen oder Radio zu folgen. Die *Tornado Warning* erfolgt, wenn tatsächlich ein Tornado gesichtet wurde. Jetzt muss man unbedingt einen sicheren Ort aufsuchen. Hat das Haus einen Keller, so ist dieser der beste Ort. Auf jeden Fall aber sollte man sich auf die niedrigste Etage bzw. in einen fensterlosen Raum im Inneren des Hauses begeben.

Berstende Fenster sind normalerweise das erste Resultat eines Tornadotreffers. Unter Umständen kann der Tornado das Dach vom Haus abreißen und möglicherweise auch die Wände zerstören. Die leichte Bauweise vieler amerikanischer Häuser ist dabei natürlich ein begünstigender Faktor. In öffentlichen Gebäuden wird man vom Personal in die für solche Fälle vorgesehenen Räume eingewiesen.

An den Niagarafällen

12. August, Niagarafälle, Ontario/Kanada

Torsten | Als ich gestern Abend noch einmal auf die Karte von Michigan schaute, um zu sehen, wo wir nun schon überall gewesen sind, entdeckte ich im benachbarten Kanada die Niagarafälle. Ich fragte Mark, wie weit das mit dem Auto sei und er bot sogleich an, mit uns heute hinzufahren. Susanne wollte erst nicht so richtig, denn übermorgen wird sie den Vortrag in Sarahs Verlag halten. Sie ist schon ganz aufgeregt deswegen und wollte heute und morgen den ganzen Tag dafür üben, aber am Ende konnte ich sie doch überzeugen. Wenn wir schon die Chance haben, die Niagarafälle zu sehen, dann sollten wir sie auch nutzen!

Die Fahrt mit dem Auto dauerte rund fünf Stunden und jetzt sitze ich hier und blicke auf diese gewaltigen, tosenden Wasserfälle, die ich schon so oft im Fernsehen und auf Bildern gesehen hatte. Wir warten gerade darauf, ein kleines Schiff zu besteigen, um ganz dicht an die Wasserfälle heran zu fahren. Mark, Susanne und ich sind heute Morgen um sieben losgefahren, damit wir zum Mittagessen hier sein würden. Sarah war nicht mitgekommen, weil sie in ihrem Zustand nicht so lange im Auto sitzen wollte. In Detroit fuhren wir über eine riesige Brücke, und am anderen Ufer lagen der Grenzübergang und die kanadische Stadt Windsor. Danach ging es quer durch die Provinz Ontario.

Auf halbem Wege zu den Niagarafällen wollten wir in einer Stadt namens London anhalten und frühstücken. Während wir eine Hauptstraße entlang fuhren und nach einem Restaurant Ausschau hielten, erzählte uns Mark, dass er zufällig in Deutschland war, als der Irak-Krieg losging und dass er sich damals als Kanadier ausgegeben hatte, wenn ihn jemand fragte, woher er sei. Er hatte einfach keine Lust, ständig Stellung zum Krieg nehmen zu müssen. Er wandte sich an mich: »Warum finden die Deutschen Kanada eigentlich so viel besser als die USA?« Die Antwort war klar: »Na, weil Kanada keine aggressive Außenpolitik wie die USA betreibt.« – »Aber wenn irgendwo Not am Mann ist, wird von uns erwartet, dass wir eingreifen.« Mark sah mich lächelnd an. »Könnte es vielleicht sein, dass die Deutschen ein wenig neidisch sind, weil Amerika das geworden ist, was Deutschland immer sein wollte?«

In diesem Moment heulte hinter uns eine Sirene auf. Susanne und ich sahen uns an. Diesmal hatten wir nichts falsch gemacht, denn Mark saß am Steuer. Die Polizistin fragte Mark, ob er wüsste, welches Tempolimit auf dieser Straße gelte. Er antwortete: »50«. Es stellte sich dann heraus, dass er 50 Meilen pro Stunde gefahren war, während die Geschwindigkeitsgrenze bei 50 Kilometern pro Stunde lag. 50 Meilen pro Stunde sind jedoch 80 km/h. Mark hatte echt Glück, dass er nur eine Verwarnung bekam. »Siehst du!«, sagte ich. »Sogar die Polizisten sind netter in Kanada.«

Was ist diesmal schiefgelaufen?

In neueren amerikanischen Autos lässt sich der Geschwindigkeitsmesser relativ einfach auf km/h umstellen, falls man nach Kanada oder Mexico fährt. In vielen älteren Autos lassen sich ebenfalls beide Werte ablesen. Wie das in Marks Auto war, wissen wir nicht. Entweder hatte er das Umstellen vergessen oder sich durch die Unterhaltung ablenken lassen.

Dass Polizisten in Kanada netter sind, kann man natürlich nicht so einfach behaupten. Auch in den USA gibt es viele nette Polizisten. Torsten und Susanne hatten wahrscheinlich einfach nur etwas Pech und waren an Ordnungshüter geraten, die ihre Arbeit sehr, sehr ernst nahmen.

Übrigens wurde das metrische System erst ab Mitte der 1970er-Jahre in Kanada eingeführt. Zuvor hatte man weitgehend die Einheiten der ehemaligen britischen Kolonialherren verwendet. Im April 1975 wechselte man von Fahrenheit zu Celsius und ab September maß man Regen- und Schneefall in Millimeter und Zentimeter. 1977 wurden Tempolimits von Meilen auf Kilometer pro Stunde umgestellt. Ab 1980 wurde Milch und ein Jahr später Benzin in Litern statt Gallonen verkauft.

Bestrebungen, das metrische System in den USA einzuführen, schlugen Anfang der 1980er-Jahre fehl, und auch die Kanadier führten ihre Umstellung nicht konsequent zu Ende. Im Alltag gibt es in Kanada heute eine Mischung aus alten und neuen Maßeinheiten. Besonders die ältere Generation kocht oft noch mit Fahrenheit und britischen Mengenangaben.

In den USA werden nach wie vor weitgehend eigene Maßeinheiten verwendet, die auf den britischen Maßen beruhen, bevor diese 1824 standardisiert wurden. Die amerikanischen Maßeinheiten wurden danach teilweise weiterentwickelt und unterschieden sich letztlich zum Teil erheblich von denen, die in Kanada vor der teilweisen Einführung des metrischen Systems verwendet wurden. So beträgt z. B. eine Gallone in den USA 3,78 Liter, während die Gallone in Kanada 4,55 Liter betrug. Da gab es dann u. a. beim Benzinkauf im jeweils anderen Land einige Verwirrung.

In den USA findet man metrische Einheiten auf fast allen Lebensmittelverpackungen. Auch im Militär und in der Wissenschaft wird das metrische System genutzt.

Amerikaner lernen dieses auch in der Schule, wenden es im Alltag aber kaum an. Eine Ausnahme sind Kilobytes, Megabytes und Gigabytes bei Computern. Außerdem verwenden Amerikaner den Buchstaben *k* um das Wort Tausend zu symbolisieren, z. B. »*He earns 65 k.*« (Er verdient 65.000 Dollar.).

Niagarafälle

Die *Niagara Falls* befinden sich an der Grenze zwischen den USA und Kanada, genauer gesagt zwischen dem Bundesstaat New York und der Provinz Ontario. Die bis zu 52 Meter hohen Wasserfälle sind Teil des 56 Kilometer langen *Niagara River*, der vom Eriesee in den Ontariosee fließt. Eine Insel unterteilt die Niagarafälle in die *American Falls*, die eine 323 Meter lange gerade Kante haben und zu den USA gehören, und die hufeneisenförmigen *Horseshoe Falls* mit 792 Meter Kantenlänge, die in Kanada liegen. Zwischen den beiden Fällen liegen rund 1.000 Meter und ein kleinerer Wasserfall namens *Bridal Falls*. Auf der kanadischen Seite kann man unterhalb der Fälle an Bord verschiedener kleiner Schiffe dicht an die Wasserfälle heran fahren.

In der Nähe der Niagarafälle gibt es mehrere Wasserkraftwerke, zu denen ein bedeutender Teil der Wassermenge des *Niagara River* über Kanäle abgeleitet wird, bevor dieser die Fälle erreicht. In der Nacht nutzt man bis zu 75 % des Wassers für die Stromgewinnung. Während der Touristensaison von April bis Oktober werden die Niagarafälle jedoch jeden Morgen per Knopfdruck »angeschaltet«, d. h. mit einer optisch zufriedenstellenden Wassermenge von mindestens 50 % versorgt.

Im Jahr 1901 gelang übrigens der 63-jährigen Lehrerin Annie Taylor in einem Holzfass die erste erfolgreiche Befahrung der Niagarafälle, nachdem sie einige Tage zuvor ihre Katze zu Testzwecken in dem gleichen Holzfass über die Fälle gehen ließ und diese zumindest körperlich unbeschadet unten ankam.

Arzt und Schrecken

13. August, Ann Arbor, Michigan

Susanne | Heute Morgen war ich beim Arzt, weil ich plötzlich sehr starke Magenschmerzen bekommen hatte. Das ging ausgerechnet dann los, als ich gerade anfangen wollte, mit Sarah meinen Vortrag zu üben. Sarah fuhr mit mir gleich zum Arzt. Torsten wollte auch mitkommen und meinte, dass er doch übersetzen könne. Aber nach dem Erlebnis in der Apotheke in Chicago konnte ich auf sein medizinisches Fachenglisch ganz gut verzichten. Außerdem konnte Sarah ja übersetzen.

Da heute Sonntag ist, fuhren wir zu einer *Urgent-Care*-Praxis, die auch am Wochenende geöffnet hat. Zunächst füllten wir ein halbes Dutzend Formulare aus. Man wollte meine komplette Vorgeschichte wissen, inklusive bisherige Krankheiten, Operationen und Allergien. Danach setzte ich mich mit Sarah in den Wartebereich, schaute *CNN* – und wurde schließlich aufgerufen. Eine Schwester steckte mir sogleich ein Thermometer in den Mund und stellte mich auf eine Waage. Die Temperatur wurde natürlich in Fahrenheit gemessen und das Gewicht in amerikanischen

Pfund angegeben, beide Werte habe ich aber gar nicht mitbekommen. Sarah sagte mir nur, dass ich kein Fieber hätte, aber ruhig mehr essen könne. Da war sie wohl ein bisschen neidisch ...

Anschließend wurden wir in ein kleines Zimmer geführt, wo aber kein Arzt auf mich wartete. Ich musste mich auf einen Behandlungstisch setzen, wo die Schwester meinen Blutdruck maß, der anscheinend auch in Ordnung war. Sie gab mir daraufhin ein Stück Stoff und sagte, dass ich meine Kleidung ablegen und das Leibchen anziehen solle. Sarah wollte draußen warten, und ich zog mich aus und schlüpfte in dieses kleine Jäckchen, an dem sich leider keine Knöpfe befanden. Nun ja, so schien das dann wohl in Amerika zu sein. Ich setzte mich wieder auf den Behandlungstisch und starrte gespannt auf die Tür.

Es klopfte, ein älterer Herr in weißem Kittel kam herein, starrte erschrocken auf meine halb entblößten Brüste, drehte sich schlagartig um und rannte fast Sarah über den Haufen, die hinter ihm den Raum betreten wollte. Sie lachte, als sie mich sah. »Du musst das andersrum anziehen!«, rief sie mir zu und folgte dem Arzt. Beide kamen nach einer Minute zurück, Sarah hatte den Arzt in der Zwischenzeit offenbar aufgeklärt, dass ich aus Deutschland war und nicht wusste, wie man diese Stoffjäckchen richtig anzieht. Ich hatte den Fehler ja nun auch korrigiert, sodass der Arzt seine Untersuchung beginnen konnte. Er schaute mir zuerst in den Mund und zog dann den Tisch aus, auf dem ich mich ausstrecken sollte. Nachdem er meinen Unterleib abgetastet hatte, meinte er, dass er nichts Besonderes feststellen konnte, und fragte mich, ob ich im Moment sehr gestresst sei. Ich sagte ja, ein wenig, wegen des Vortrags. Er empfahl mir ein Beruhigungsmittel, das ich in der Drogerie kaufen könnte und fragte mich, wie lange ich noch in den USA bleiben würde. Als ich ihm sagte, dass wir übermorgen zurückfliegen würden, riet er mir, ich solle zu meinem Arzt in Deutschland gehen, falls ich in einigen Tagen noch Beschwerden hätte.

Was ist diesmal schiefgelaufen?

Der Besuch einer Arztpraxis läuft in den USA in der Regel ein wenig anders ab, als wir das von zu Hause gewohnt sind. Wenn man krank ist, muss man in der Regel bei seinem Arzt vorher anrufen und fragen, wann man vorbeischauen kann. Es kann durchaus vorkommen, dass man erst später am Tag oder gar erst am nächsten Morgen einen Termin bekommt. Für Routineuntersuchungen muss man vielerorts Monate vorher einen Termin vereinbaren. Das Gleiche gilt übrigens auch für den Zahnarzt. Sollte man schnell einen Arzt sehen wollen, kann man zu einer *Ur-*

gent-Care-Einrichtung gehen, im lebensgefährlichen Notfall ruft man über 911 einen Krankenwagen *(ambulance)* oder begibt sich in die Notaufnahme *(emergency room)* des nächsten Krankenhauses.

Beim Arztbesuch muss man zunächst einige Fragebögen ausfüllen. Da wird dann die Krankengeschichte erfragt, welche Medikamente man regelmäßig einnimmt, welche man nicht verträgt und was der Grund für den Arztbesuch ist. Wenn man sich gerade nicht wohlfühlt, ist dieser Papierkrieg natürlich nervend. Da bietet es sich an, jemanden mitzunehmen, der einem beim Ausfüllen helfen kann, insbesondere wenn man der Sprache nicht ganz mächtig ist.

Nachdem man aufgerufen wurde, wird einem eine Schwester ein Thermometer in den Mund stecken sowie das Gewicht und den Blutdruck messen. Danach wartet man in einem kleinen Behandlungsraum, bis der Arzt erscheint. Dies dauert – das kennt man ja auch aus heimischen Praxen – mitunter eine halbe Ewigkeit, da der Arzt von Raum zu Raum seine Patienten bedient und nur selten zügig damit fertig wird. Wenn er dann endlich erscheint, wird er sich kurz nach dem Befinden erkundigen und dann den Raum mit der Aufforderung verlassen, dass man sich bitte umziehen solle. Das kleine Stoffjäckchen, das man zu diesem Zwecke bekommt, muss mit der Öffnung nach hinten angezogen werden, sodass nur der Rücken sichtbar ist. Susanne hatte das Jäckchen falsch herum angezogen, mehr oder weniger barbusig da gesessen und damit den Arzt überrascht.

Urgent Care – was ist das genau?

In den USA gibt es derzeit rund 10.000 *Urgent Care*-Einrichtungen, Tendenz steigend.

Während man beim normalen Arzt, selbst bei Krankheit, telefonisch einen Termin vereinbaren muss, kann man bei einer *Urgent Care* ohne Voranmeldung erscheinen. Die durchschnittliche Wartezeit beträgt 30 Minuten, was ein entscheidender Vorteil gegenüber der Notaufnahme ist, wo man oft stundenlang warten muss, wenn man sich nicht in einem lebensbedrohlichen Zustand befindet. *Urgent Care*-Einrichtungen sind jeden Tag, also auch am Wochenende, geöffnet, in der Regel von 8 Uhr morgens bis 8 Uhr abends.

Da nur der Leiter der Einrichtung ein Arzt sein muss, wird die Behandlung oft von einem *physician assistant* durchgeführt, dessen Qualifikation zwischen Arzt und Krankenpfleger angesiedelt ist. Behandelt werden u. a. einfache Brüche, Schnittwunden, Blasenbeschwerden und Erkältungen. Werden die medizinischen Möglichkeiten der *Urgent Care* überschritten, schickt man den Patienten in die Notaufnahme eines Krankenhauses.

Baby Shower

13. August, Ann Arbor, Michigan

Susanne | Sarah hatte heute Nachmittag ihre weiblichen *friends* (sowohl Freundinnen als auch Kolleginnen) und Verwandten zu einer Babyparty, die hier *baby shower* genannt wird, eingeladen. Rund 30 Frauen saßen im Garten im Kreis und sprachen übers Kinderkriegen. Torsten und Mark waren aus dem Haus verbannt worden, denn eine Baby Shower ist eine reine Frauenangelegenheit.

Jede der Frauen hatte ein Geschenk für Sarah mitgebracht, von Fläschchen über Windeln bis zu Stramplern war alles dabei, was eine werdende Mutter so am Anfang braucht. Damit es keine doppelten Geschenke gab, hatte Sarah bei einem Internet-Kaufhaus eine Wunschliste angelegt und an ihre Freundinnen geschickt. Wenn jemand dann etwas kaufte, wurde das Geschenk automatisch auf der Liste als erledigt registriert. Trotzdem tat sie beinahe überrascht, als sie während der Party alle Geschenke auspackte und sich dann jeweils überschwänglich bedankte. Ein bisschen merkwürdig fand ich das schon.

Torsten | Mark und ich waren unterdessen bei Jeff, der ein Barbecue veranstaltete. Viele der Männer, deren Frauen und Freundinnen bei der Babyparty eingeladen waren, grillten eifrig und tranken kräftig Bier. Jeff war in der Armee gewesen und sehr stolz auf seinen Einsatz im Irak. An seinem Haus hing die amerikanische Fahne, das Nummernschild an seinem Auto trug den Schriftzug *Veteran* und im Wohnzimmer stand ein Bild von ihm in seiner Paradeuniform. Ich fragte ihn, ob er denn mit dem Krieg einverstanden gewesen war, worauf er begann vom 11. September und von den Terroristen zu reden. Ich entgegnete, dass der Irak doch mit dem 11. September nichts zu tun hatte, dass man das doch alles differenziert sehen müsse und so weiter. An seinem Gesichtsausdruck konnte ich ablesen, dass er zunehmend wütend wurde. Er sagte dann ein paar Sätze, von denen ich nur das Wort *»Nazis«* verstand, und ging dann weg. Im Garten herrschte betretenes Schweigen. Mark sagte, dass wir wohl besser gehen sollten. Er sah auch ziemlich sauer aus.

Auf dem Nachhauseweg erklärte er mir, dass Leute wie Jeff sehr patriotisch eingestellt wären und jede Kritik an Amerika als persönliche Beleidigung ansahen. »Du musst das verstehen«, sagte Mark, »Jeff hat bestimmt viel Schlimmes im Krieg erlebt und einige seiner Kameraden sterben sehen.«

Was ist diesmal schiefgelaufen?

Viele Amerikaner lassen sich nicht gerne besserwisserisch belehren, was ihre Grundwerte, insbesondere den Glauben an Freiheit und Demokratie, betrifft. Vor allem nicht von Deutschen, die sich in den vergangenen 100 Jahren als Verfechter dieser Werte kaum mit Ruhm bekleckert haben. Mit Meinungsäußerungen zur amerikanischen Politik sollte man deshalb vorsichtig sein, insbesondere wenn man seine Gesprächspartner noch nicht lange kennt. Bei Militärangehörigen, die im Allgemeinen politisch eher konservativ eingestellt sind, sollte man besonders vorsichtig und höflich mit derartigen Themen umgehen, wenn man nicht unnötig anecken möchte. Aber auch sonst sollte man in geselligen Runden und am Arbeitsplatz Themen wie Politik und Religion vermeiden.

Freunde und Bekannte

In den USA wird die Bezeichnung »Freunde« sehr großzügig verwendet und schließt in der Regel auch Leute ein, die wir eher als »Bekannte« bezeichnen würden. So kann es durchaus sein, dass Sie jemanden erst ein oder zwei Mal getroffen haben, von diesem aber gegenüber Dritten als *friend* vorgestellt werden. Der Grund dafür mag sein, dass die Bezeichnung *acquaintance* für einen Bekannten eher altmodisch und gestelzt klingt. Von Kollegen oder Geschäftspartnern, mit denen Sie gut auskommen, werden Sie möglicherweise ebenfalls schon nach kurzer Zeit als *friend* bezeichnet. Sie sollten das nicht überbewerten, aber ein wenig freuen können Sie sich schon, denn das ist durchaus ein Zeichen, dass man Sie sympathisch findet. Freunde im deutschen Sinne werden allerdings *close friends* genannt und der Aufbau von richtigen Freundschaften geschieht auch in den USA nur allmählich.

Topfglück und Gemüsepech

14. August, Ann Arbor, Michigan

Susanne | Heute war es nun soweit: Ich fuhr mit Sarah in den Universitätsverlag, um dort meinen Vortrag zu halten und Kooperationsmöglichkeiten zu besprechen. Im Auto roch es nach frisch gebackenem Kuchen. Ich fragte, wofür der denn sei und Sarah erwiderte: »Für unseren *Potluck*.« Aha.

Im Büro angekommen, stellte mich Sarah zuerst dem Verlagsleiter vor, den ich mit *Tom* anreden durfte. Dann führte sie mich herum und ich lernte alle anderen Mitarbeiter kennen. Obwohl diese sich auch alle nur mit dem Vornamen vorstellten, konnte ich mir die ganzen Namen nicht merken. Das war noch nie meine Stärke gewesen, und ich bewundere Leute, die jeden Namen auf Anhieb behalten. Sarahs Kollegen waren auf jeden Fall alle sehr nett. Die meisten erkundigten sich, wie lange ich in den USA bleiben würde. Einige waren auch schon in Deutschland gewesen und es schien ihnen dort sehr gut gefallen zu haben.

Unsere erste Besprechung war mit Crystal, der für Biografien zuständigen Lektorin. Sie zeigte mir die Neuerscheinungen, die sie in den letzten zwei Jahren betreut hatte und berichtete dann von den Projekten, an denen sie gerade arbeitete. Darunter war ein Buch über den deutschen Einwanderer Heinrich Göbel, der behauptet hatte, schon 25 Jahre vor Edison Glühlampen hergestellt zu haben. Während wir uns unterhielten, stellte Crystal einen Teller mit kleingeschnittenem Gemüse auf den Tisch. Sie sagte mir, dass ich mich bedienen solle. In der Mitte des Tellers stand eine kleine Schale mit einer toll schmeckenden Salatsauce, in die man das Gemüse stippen konnte.

Crystal fragte mich, ob es für das Buch über Heinrich Göbel vielleicht auch in Deutschland Interesse geben könnte. Ich bejahte das, und wir schauten zur Sicherheit gemeinsam bei einigen deutschen Internet-Buchhändlern nach, ob es da schon etwas gab. Viel konnten wir nicht finden. Super, das wäre doch was! Mein Chef in Deutschland wird sich freuen, wenn ich mit einem konkreten Vorschlag zurückkomme.

Als wir gerade begannen, Pläne für die deutschsprachige Ausgabe des Buches zu schmieden, hielt Sarah, die auch am Tisch saß, plötzlich meine Hand fest – gerade als ich dabei war, ein Stück Möhre in die leckere Sauce zu stippen. Was war denn jetzt? »*Don't double dip!*«, sagte Sarah. Ich sah erst sie, dann Crystal an. Diese hatte für den Bruchteil einer Sekunde einen geschockten Gesichtsausdruck, lachte dann aber. In diesem Moment kam Tom herein und verkündete, dass es Zeit für das *Lunch & Learn* sei. Sarah stieß mich an. »Bist du bereit?« – »Wofür denn?« – »Na, für deine Präsentation!«

Ich folgte ihr aufgeregt in einen Versammlungsraum. Zu meiner Überraschung standen auf dem Tisch jede Menge Speisen: Kartoffel- und Nudelsalat, verschiedene Aufläufe, mehrere Kuchen und einige Zwei-Liter-Flaschen Cola und Brause. Die Mitarbeiter strömten allesamt in den Raum, griffen sich einen Pappteller, nahmen sich von unterschiedlichen Speisen und gossen sich etwas zum Trinken in Plastikbecher. Ich machte es ihnen nach und als ich gerade Platz genommen hatte und mit dem Essen anfangen wollte, ergriff Tom das Wort und begrüßte mich noch einmal und sprach von den Kooperationsmöglichkeiten zwischen den beiden Verlagen.

Sarah hatte inzwischen ihr Notebook an den Projektor angeschlossen, der inmitten des Essens stand. Ich hatte ihr meine Präsentation schon vor unserer Abreise gemailt. Jetzt war ich also an der Reihe. Die Mitarbeiter des Verlages, ungefähr 20 an der Zahl, sahen mich erwartungsvoll und mit vollen Mündern an. Als ich mit Sarah gestern geübt hatte, meinte sie, dass ich mich nicht so sehr bei den vielen Zahlen aufhalten sollte, die ich auf den ersten fünf Folien hatte, um den deutschen Buchmarkt akkurat zu beschreiben. Vielmehr riet sie mir, Beispiele für unsere Erfolge zu nennen und was unseren Verlag von anderen unterscheidet.

Aber ich konnte doch die wichtigen Statistiken nicht einfach so vernachlässigen! Darauf baute doch schließlich alles Weitere auf. Die Gesichter der Zuhörer sahen allerdings schon nach drei, vier Minuten sehr gelangweilt aus und einige schienen mehr mit ihrem Essen beschäftigt, als mir zuzuhören. Sarah nickte mir aufmunternd zu, und ich beschloss einige Folien zu überspringen. Als ich dann begann, unsere recht originellen Buchumschläge und Beispiele unserer lustigen Werbeaktionen zu zeigen, hatte ich das Publikum wieder auf meiner Seite. Am Ende gab es viele Fragen, die ich mit Sarahs Hilfe auch ganz gut beantworten konnte. Auf dem Nachhauseweg meinte Sarah, dass der Vortrag ein voller Erfolg war und dass das Interesse an einer Zusammenarbeit sehr groß sei!

Universitätsverlage

Viele Universitäten in den USA unterhalten eigene Verlage, die in erster Linie wissenschaftliche Bücher und Zeitschriften veröffentlichen. Da der Markt für derartige Publikationen jedoch sehr beschränkt ist, haben Universitätsverlage aus finanziellen Gründen oft auch populärwissenschaftliche und literarische Werke im Programm. Die meisten dieser Verlage arbeiten trotzdem nicht kostendeckend und werden finanziell von der jeweiligen Hochschule über Wasser gehalten. Einige jedoch, allen voran *University of Chicago Press*, gehören zu den größten Verlagen in den USA. Dieser Verlag hat z. B. derzeit mehr als 5.000 Bücher und 50 wissenschaftliche Zeitschriften im Programm.

Was ist diesmal schiefgelaufen?

Susanne hat sich bei ihrer Präsentation wacker geschlagen und sich schnell den Bedürfnissen ihres Publikums angepasst. Amerikaner finden detaillierte Informationen, insbesondere Statistiken, tatsächlich extrem langweilig und vermeiden diese in Vorträgen. Stattdessen bevorzugen sie die Vermittlung von Hauptgedanken und originellen Lösungsansätzen. Präsentationen sind daher visuell oft recht anspruchsvoll gestaltet. Bilder, die das Gesagte symbolisieren, sind scheinbar wichtiger als Text. Das gilt natürlich eher für Vorträge in der Wirtschaft als in der Wissenschaft, wo man um die Darstellung von Fakten dann doch nicht herumkommt.

Viele Firmen führen Vorträge und Schulungen als *Lunch & Learn* durch, also im Prinzip in der Mittagspause. Die Angestellten können dann essen und nebenbei noch etwas lernen. Oft werden Sandwiches bestellt, aber auch die Form des *Potluck* bietet sich an und wird von den Mitarbeitern oft gerne angenommen.

Bei einem *Potluck* bringt jeder Teilnehmer eine Speise mit, die zu Hause zubereitet wurde und die für mehrere Personen reicht. Je höher die Zahl der Teilnehmer, desto reicher die Auswahl an Speisen, die auf einem großen Tisch dargeboten werden und von denen man sich wie bei einem Buffet selbst bedienen kann. Ein *Potluck* eignet sich daher besonders gut für Kirchengemeinden und Sportvereine. Aber auch in Büros mit ausreichend vielen Mitarbeitern werden mitunter *Potlucks* veranstaltet. Oft wird dann einige Tage zuvor eine Liste herumgereicht oder an gut sichtbarer Stelle angebracht, wo jeder einträgt, was er mitzubringen beabsichtigt. Damit wird eine ausreichende Vielfalt an Speisen gewährleistet. Die Organisatoren des *Potluck* kümmern sich in der Regel um Getränke, Pappteller und Plastikbesteck.

Das *double dip*, dessen Susanne sich beinahe schuldig gemacht hätte, sollte man selbstverständlich vermeiden. Sie hatte im Eifer des Gefechts die Möhre in die Sauce gestippt, nachdem sie schon von dieser abgebissen hatte. Die Schale mit der Sauce ist jedoch, wie in den USA auch auf fast jeder Party, für alle da. Das versteht sich von selbst. In Sachen Hygiene sind Amerikaner allerdings oft besonders empfindsam. So kann man z. B. auch in den meisten Supermärkten am Eingang Desinfektionstücher finden, mit denen man den Griff seines Einkaufswagens abwischen kann. Auch im Haushalt gilt es, vermeintlich gefährlichen Bakterien Herr zu werden. Da gibt es kaum eine Seife oder ein Geschirrspülmittel, das nicht den Aufdruck *antibacterial* trägt.

Wer hat die Glühlampe erfunden?

Thomas Alva Edison (1847-1931) gilt weithin als Erfinder der Glühlampe. 1880 hatte er das Patent für Glühlampen mit Kohleglühfaden erhalten. 1881 begann Edison mit der Elektrifizierung New Yorks. Zu diesem Zweck arbeitete er mit seinem Entwicklerteam auch an den anderen Elementen des Stromnetzes, wie Dampfmaschinendynamos, Leitungen, Verteiler, Sicherungen und Schalter sowie Lampenfassungen mit Schraubgewinde.

Ab 1885 verklagte die *Edison Electric Light Co.*, aus der später der Großkonzern *General Electric* hervorging, andere Glühlampenhersteller wegen Patentverletzung. Die Anwälte der von der Schließung bedrohten Unternehmen präsentierten 1893 zu ihrer Verteidigung den in New York lebenden deutschen Einwanderer Heinrich Göbel (1818-1893), der angeblich schon 25 Jahre vor Edison derartige Glühlampen entwickelt hatte, ohne allerdings ein Patent angemeldet zu haben. Ziel dieser Verteidigungsstrategie war es, Edisons Patentanspruch für nichtig zu erklären. Allerdings konnte man keine stichhaltigen Beweise vorlegen und Edisons Anwälte setzten sich durch. Inwieweit sich Göbel wirklich mit der Entwicklung von Glühlampen beschäftigt hatte, ist in der Wissenschaft nach wie vor heftig umstritten.

Kampf der Traktoren

15. August, Flughafen Detroit, Michigan

Torsten | Heute, genauer gesagt in einer Stunde, fliegen wir zurück nach Hause. Gestern Abend wollten uns Mark und Sarah zum Abschluss unseres Aufenthaltes noch einmal etwas richtig Amerikanisches zeigen, nämlich eine *Country Fair*, was sich als eine coole Mischung aus Landwirtschaftsausstellung und Rummelplatz herausstellte. Das Ganze fand in Chelsea, einer Kleinstadt in der Nähe von Ann Arbor, statt. Wir hätten auch auf der Autobahn dorthin gelangen können, aber Mark wollte uns eine alte deutsche Kirche zeigen, die an einem Feldweg zwischen Ann Arbor und Chelsea liegt. So fuhren wir auf Landstraßen an malerischen Farmen mit riesigen, alten Holzscheunen und schönen Häusern vorbei. Die Farmhäuser waren meistens strahlend weiß gestrichen, die Scheunen waren dagegen dunkelrot und hatten alle die Namen der Besitzer in großen Buchstaben über dem Tor stehen. Es handelte sich fast ausschließlich um deutsche Namen und die Straßen bzw. Feldwege hießen *Steinbach Road*, *Guenther Road* und *Loeffler Road*. Mark erklärte uns, dass fast alle Farmer hier in dieser Gegend ursprünglich deutsche Einwanderer waren und dass hier, genauso wie im westlichen Teil von Ann Arbor, vor 100 Jahren im Prinzip alle Deutsch sprachen.

Wir hielten kurz an der kleinen Kirche an, die am Rande eines Maisfeldes liegt und an der ein altes Schild mit der Aufschrift »Evangelische Gemeinde« angebracht ist. Nach einem Foto brausten wir weiter in Richtung *Country Fair*.

In Chelsea waren die Straßen verstopft, anscheinend wollten alle zu dem Gelände, wo das Volksfest stattfand. Geparkt wurde auf einer riesigen Grasfläche, von der aus man schon ein bunt beleuchtetes Riesenrad sehen konnte. Auf dem Parkplatz gab es auffallend viele alte Autos, die zum Teil nur noch vom Rost zusammengehalten wurden. Ich glaube, drei Viertel der dort geparkten Fahrzeuge wären bei uns auf keinen Fall durch den TÜV gekommen. Als ich Mark darauf ansprach, lachte dieser und sagte: »TÜV? So etwas gibt es hier nicht!«

In den USA ist es den einzelnen Bundesstaaten überlassen, eine technische Überprüfung von Kraftfahrzeugen vorzuschreiben. Die meisten Staaten, wie zum Beispiel Michigan, verzichten darauf. Einige Staaten, wie zum Beispiel Kalifornien, führen jedoch Abgastests durch.

Gleich beim Eingang waren einige landwirtschaftliche Maschinen aufgestellt, auf die man auch raufklettern konnte.

Ich habe mich in das Fahrerhaus von einem riesigen, grünen Mähdrescher gesetzt. Das war echt geräumig und der Sitz superbequem – natürlich gab es auch hier eine Klimaanlage. Daneben standen einige alte Traktoren, hauptsächlich aus den 1930er- und 1940er-Jahren. Die waren alle in einem hervorragenden Zustand. Mark sagte, dass einige Leute diese alten Traktoren sammeln und restaurieren. Susanne machte einen Haufen Fotos. Merkwürdig, ich wusste gar nicht, dass sie sich so für Landtechnik interessiert.

Aber dann kam der Hammer. Es gab einen Traktoren-Wettkampf, der folgendermaßen funktionierte: Aufgemotzte Traktoren zogen eine Art Bremswagen von der Größe eines Nahverkehrsbusses, auf dem ein Gewicht langsam nach hinten rutschte. Das bremste offensichtlich die Traktoren, die zuvor im Stand auf Hochtouren gebracht wurden und dann auf ein Startsignal hin mit solcher Macht loszogen, dass Flammen aus ihren Auspuffen kamen und die Vorderräder in die Luft gingen. Die Zuschauer auf den Tribünen, die auf beiden Seiten entlang der Zugstrecke standen, klatschen begeistert bei jedem Traktor, aßen Popcorn und Hotdogs, tranken Cola aus eimergroßen Bechern und lauschten dem Stadionsprecher, der jeden Fahrer und Traktor einzeln vorstellte. Bei den Traktoren gab es anscheinend verschiedene Wettkampfklassen, bei den größeren Modellen trugen die Fahrer sogar Rennanzüge und Helme und saßen in einem Überrollkäfig. Das Ziel des Wettkampfes war offensichtlich, den Bremswagen so weit wie möglich zu ziehen.

Wir schauten uns das Ganze etwa eine halbe Stunde lang an und erkundeten dann den Rest des Geländes. Es gab jede Menge Karussells und Imbissstände und mehrere Hallen, in denen Tiere ausgestellt wurden: Kühe, Schweine, Schafe, Hühner und Kaninchen. Sarah erklärte uns, dass alle diese Tiere von den Kindern der Farmer aufgezogen wurden, als Teil eines Wettbewerbs, bei dem die besten Nachwuchszüchter ausgezeichnet wurden. Da sie auf dem Land aufgewachsen ist, hat sie früher auch an solchen Wettbewerben teilgenommen. Anschließend werden die Tiere dann hauptsächlich an Restaurants verkauft, wodurch sich die Kinder ein wenig Taschengeld dazuverdienen. Susanne wollte am liebsten einige der Kaninchen vor dem sicheren Tod bewahren. Ich konnte ihr das allerdings dann doch ausreden. Das wäre was gewesen, wenn wir am Flughafen mit einer Handvoll Kaninchen aufgetaucht wären ...

Was ist diesmal schiefgelaufen?

Ganz einfach: Hier bricht das Tagebuch ab. Der Flug nach Deutschland wurde offenbar aufgerufen und Torsten hatte keine Zeit, den Eintrag fortzuführen. Wir werden wohl nie erfahren, warum die beiden das Tagebuch nicht mit nach Hause genommen haben. Am wahrscheinlichsten ist wohl, dass Torsten es aus Versehen liegen ließ oder dass es aus dem Gepäck rutschte und dann von einem Angestellten in den Müll geworfen wurde.

Abschließende Gedanken

Mit Verallgemeinerungen ist das so eine Sache – sie vereinfachen die Orientierung, aber sie verstellen gleichzeitig den Blick aufs Detail. Torsten und Susanne verallgemeinern an vielen Stellen in ihrem Tagebuch, und ich mache das sicher auch wiederholt in meinen Anmerkungen. Ich glaube, die Grundlage für diese Verallgemeinerungen basiert nicht auf Fakten, sondern auf unserer bewussten oder unbewussten Zu- oder Abneigung hinsichtlich der Vereinigten Staaten.

Eine Meinung zu den USA hat jeder. Wie aber wurde diese geformt? Die Menge der Informationen, die wir im Laufe unseres Lebens zu diesem Land erhalten, ist kaum messbar. Nachrichten, Filme, Bücher und Zeitschriftenartikel beeinflussen sicher jeden in seinen Ansichten. Aber wie detailliert und vor allem ausgewogen sind diese Informationen eigentlich? Achten Sie einmal darauf: Sind das nicht immer nur die gleichen Verallgemeinerungen, die uns leicht variiert vermittelt werden?

Den Kreislauf aus Meinung und Verallgemeinerung zu

durchbrechen und die amerikanische Gesellschaft in all ihren Details zu sehen, ist ein Prozess, der Jahre dauert und der nie abgeschlossen ist, denn Land und Leute entwickeln sich natürlich ebenfalls ständig weiter. Mit einem Aufenthalt in den USA, selbst wenn er nur kurz ist, beginnen Sie jedoch, sich dieses Land selbst zu erschließen, statt ausschließlich auf die Informationen und Meinungen anderer angewiesen zu sein.

Die ersten Stunden und Tage nach der Ankunft sind sicher am intensivsten, da hier unsere bisherigen Vorstellungen von dem Land auf die konkrete Realität treffen. Zunächst halten wir vielleicht Ausschau nach Dingen, die uns in unseren Meinungen bestätigen. Da sind sie dann, die dicken Amerikaner, deren Bilder wir in unseren Zeitungen gesehen haben. Die starke Polizeipräsenz bestärkt uns in dem Gedanken, dass in den USA außergewöhnlich viel Kriminalität herrscht und dass wir schnell zum Opfer werden könnten, so wie wir das aus dem Fernsehen kennen. Zudem kann es sich bei der Freundlichkeit der Amerikaner nur um Oberflächlichkeit handeln, denn das haben wir schon so oft gehört.

Wenn wir länger und genauer hinschauen, entdecken wir aber zunehmend ein Land, das einfach anders ist. Die Stereotypen, die wir anfangs wiedererkannten, treten immer mehr in den Hintergrund und andere, neue Details bereichern fortlaufend unser Bild von den USA. Wir werden fairer in unseren Urteilen und übernehmen Dinge, die uns gefallen, in unser eigenes Leben. Ich hoffe, dass dieses Buch Ihnen helfen wird, einige Klippen kultureller Unterschiede zu umschiffen, sodass Sie Ihre Energie zum detaillierten Entdecken einsetzen können und den Verallgemeinerungen entkommen. Vielleicht werden Sie sogar selbst ein Tagebuch führen. Passen Sie aber auf, dass Sie es nicht verlieren, denn es könnte unter Umständen in meine Hände geraten – und wohin das führt, haben Sie ja hier gesehen.

Unwichtige Unterschiede zwischen Deutschland und den USA

Sie sitzen im Flugzeug und haben gerade den »Fettnäpfchenführer USA« zu Ende gelesen? Die Landung ist jedoch erst in einer halben Stunde? Dann erzähle ich Ihnen zu guter Letzt noch eine Reihe von Dingen, die Sie nicht unbedingt wissen müssen, mit denen Sie aber unter Umständen ein interessantes Gespräch mit Ihrem Sitznachbarn beginnen können:

- Während die Deutschen gerne auf kariertem Papier schreiben, verwenden die Amerikaner fast ausschließlich liniertes Papier.
- Amerikanische Buchrücken sind von oben nach unten und deutsche Buchrücken von unten nach oben beschriftet.
- In den USA sprechen Fans der Sesamstraße immer von *Bert and Ernie*, während es in Deutschland umgekehrt ist.
- Der riesige Hund, den wir als Deutsche Dogge kennen, wird in den USA als *Great Dane* (»Großer Däne«) bezeichnet.
- Der dänische Koch in der deutschsprachigen Version der *Muppet Show* ist im amerikanischen Original ein schwedischer Koch.

- Eine handschriftliche Eins wird in Amerika als gerader Strich, ohne Aufwärtshaken, geschrieben. Eine wie in Europa geschriebene Eins wird in den USA als Sieben angesehen, da man diese ohne Querstrich schreibt.
- In den USA sind Krawatten oft von links oben nach rechts unten gestreift. In Deutschland laufen die Streifen dagegen fast immer von links unten nach rechts oben.

Anhang

Auf den Spuren von Torsten und Susanne im WWW

Falls Sie, liebe Leser, im Internet nachforschen möchten, an welchen Orten und in welchen Lokalen sich Torsten und Susanne aufgehalten haben, finden Sie nachfolgend die Web-Adressen:

Ann Arbor, Michigan

Old Town	www.oldtownaa.com
Cafe Zola	www.cafezola.com
Knight's	www.knightsrestaurants.com
Gandy Dancer	www.muer.com/gandy-dancer

Detroit, Michigan

Detroit Institute of Arts	www.dia.org
Detroit People Mover	www.thepeoplemover.com
GM Renaissance Center	www.gmrencen.com

Chicago, Illinois

John Hancock Observatory	www.360chicago.com
Chicago Union Station	www.chicagounionstation.com
Navy Pier	www.navypier.com

John G. Shedd Aquarium	www.sheddaquarium.org
Art Institute of Chicago	www.artic.edu

Sleeping Bear Dunes, Michigan

Sleeping Bear Dunes National Lakeshore	www.sleepingbeardunes.com

Mackinac Island, Michigan

Grand Hotel	www.grandhotel.com
Fort Mackinac	www.mackinacparks.com

Upper Peninsula, Michigan

Oswald's Bear Ranch	www.oswaldsbearranch.com

Frankenmuth, Michigan

Bavarian Inn	www.bavarianinn.com

Manchester, Michigan

Manchester Chicken Broil	www.manchesterchickenbroil.org

Amerikanische Eisenbahn/National Railroad Passenger Corporation

Amtrak	www.amtrak.com

»Wer mir einen nachvollziehbaren Grund nennen kann, erwachsen zu werden, bekommt sämtliches Gold der Welt, einen Oscar in allen Kategorien und sei gleichzeitig in die Hölle verbannt.«

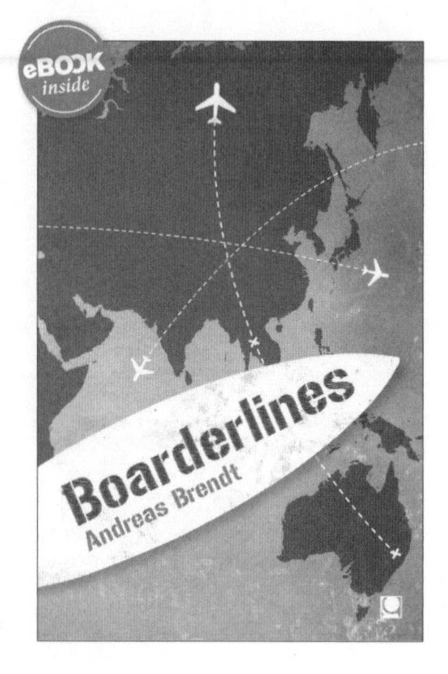

Andreas Brendt
Boarderlines
ISBN 978-3-943176-99-5

»Ein Buch mit großer Erzählkraft, Tiefsinn und einer Prise Humor.« (Aachener Nachrichten)

»Ein Buch zum Runterlesen. Die Geschichten sind witzig und man erwischt sich sehr schnell dabei, seine Sachen packen und die Welt erleben zu wollen.« (Radio Köln)

»Unglaublich witzig und unterhaltsam und gleichzeitig mit Tiefgang. Vorsicht: Suchtgefahr.« (active woman)

Andi ist ein pflichtbewusster VWL-Student, dem eine lukrative Zukunft winkt. Doch dann entscheidet er spontan, sein Konto zu plündern und nach Asien aufzubrechen. Auf Bali wird er mit dem Surfvirus infiziert, und von nun an ist das Wellenreiten seine lebensbestimmende Leidenschaft, die ihn vor eine große Entscheidung stellt: Gibt er dem inneren Feuer Zündstoff oder ebnet er den Weg für die geplante Managerkarriere?

Boarderlines ist ein autobiografischer Reise-Roman über die schönsten Wellen dieses Planeten, die Sinnsuche und die Sehnsucht nach Abenteuer. Über ein Leben zwischen Pistolen, Edelsteinen, Malaria, einer entlegenen Insel, gemeinen Ganoven, allwissenden Professoren, und deutschen Bierdosen. Über Freundschaft und natürlich über die Liebe – zum Surfen, zu Menschen, zum Leben.

Die Fettnäpfchenführer: Unsere Buchreihe, die sich auf vergnügliche Art dem Minenfeld der kulturellen Eigenheiten widmet.

www.fettnaepfchenfuehrer.de

»Eigentlich wandern wir gar nicht aus. Eigentlich ziehen wir nur um.« Darin sind sich die Berliner Jo und Micha einig. Was soll schon groß anders sein beim Nachbarn auf der grünen Insel? Außer vielleicht, dass es dort locker und lässig zugeht ...

Irrtum. Irland ist ein Land für Mutige, die bereit sind, soziale und mentale Hürden zu überspringen, und voller Inbrunst in den »Schlimmer geht's immer«-Gesang mit einstimmen.

Trotzdem: Ganz falsch liegen Jo und Micha nicht. Irland ist locker und lässig, aber klar. Bis an die Grenze des Erträglichen. Doch jenseits dieser Grenze liegt die endlose Freiheit, das Leben mit Humor zu sehen.

Petra Dubilski
Fettnäpfchenführer
Irland
ISBN 978-3-943176-41-4

Verfolgen Sie in Kai Blums Krimiserie das Schicksal und die Herausforderungen deutscher Auswanderer im 19. Jahrhundert

Nord-Dakota im Sommer 1881. Tausende deutschsprachige Einwanderer erhalten von der US-Regierung kostenloses Ackerland in der scheinbar endlosen Prärie. Geschäftsleute mit großen Träumen gründen mitten in den frisch besiedelten Landstrichen kleine Städte, die sich schon bald zu ländlichen Zentren des Wohlstands entwickeln sollen.

Himmelsfeld ist einer dieser Orte. Doch der friedliche Name täuscht. Der Hoffnung auf ein neues Leben stehen alte und neue Rechnungen gegenüber, die zu Mord und Totschlag führen.

Kostenlose E-Book-Fassung inklusive!

Nord-Dakota, 1883. Die Aufnahme des Dakota-Gebietes in die Vereinigten Staaten zeichnet sich ab und zur Geldgier in den jungen Präriestädten gesellt sich das Streben nach politischer Macht.

Vor diesem Hintergrund sieht sich Sheriff Jack Hunhoff mit einem Doppelmord konfrontiert. Verdächtige gibt es viele, konkrete Anhaltspunkte jedoch keine. Nur eines weiß der Sheriff, der sich in Kürze selbst zur Wahl stellen muss, mit Sicherheit: Sollte er diesen Fall nicht umgehend aufklären, stehen sowohl seine berufliche Existenz als auch sein persönliches Glück auf dem Spiel.

Kostenlose E-Book-Fassung inklusive!

»Spannend und interessant beschreibt Blum das harte Leben der Auswanderer. Schreibstil und Story haben mir sehr gut gefallen, auch waren die Personen sympathisch und glaubhaft. Das Buch ist etwas mehr ein historischer Roman als ein Krimi, aber das tut dem Lesespaß keinen Abbruch.« *(Claudia Junger, Krimi & Co.)*

Hoffnung ist ein weites Feld
Erster Teil des Auswanderer-Krimis
ISBN 978-3-943176-59-9

Man erntet, was man sät
Zweiter Teil des Auswanderer-Krimis
ISBN 978-3-943176-61-2